騙されないための中東入門

米中ロを翻弄する
"グレーゾーン"の真実

高山正之
Masayuki Takayama

飯山陽
Akari Iiyama

ビジネス社

まえがき

みなさんは中東という言葉から何を連想するでしょうか。一般的には砂漠や石油、彫りの深い顔立ちでヒゲを蓄えた男性や、あるいは「アラブの石油王」やハーレムといったノスタルジーかもしれません。ぼんやりとしたイメージはあるけれど、なんだかよくわからない地域だという印象をお持ちの方もいるでしょう。

本書はその中東で、人々にもみくちゃにされ、翻弄《ほんろう》されながらも生活をし、仕事をしてきた元産経新聞記者の髙山正之先生と私、イスラム思想研究者の飯山陽がお届けする、中東案内書です。

髙山先生は1985年から1987年まで産経新聞のテヘラン支局長を務め、イスラム革命後のイランの混乱を直に体験されました。それを率直に記した『鞭と鎖の帝国――ホメイニ師のイラン』（文藝春秋、1988年）を執筆、出版したことにより、イランで「お尋ね者」となったのも、先生の武勇伝のひとつです。日本には多くのイラン研究者がいますが、先生のようにイランの体制を批判する人はいません。いったいそれはなぜなのか。

本書ではそうした、日本における奇妙な中東研究、中東報道の実態も解き明かしていきます。

豊富な経験と知識に裏打ちされた髙山先生のお話は、深く示唆に富んでいるだけでなく軽妙洒脱《しゃだつ》です。本書では、これから世界で活躍する日本人が「死なない」ために必ず知っておくべきことから、どうしても好奇心をそそられる「中東版ハニトラ」の実態まで、余すことなく語り尽くしてくださっています。

一方の私は、東京大学大学院でイスラム法の研究をし、博士号を取得しました。その間、２０００年から２００１年まではモロッコのテトゥアンという街にあるアブドゥルマリク・エッサアディ大学というところに国費留学し、その後も調査や研究のためにしばしばモロッコに滞在しました。２０１１年から２０１５年にかけては、いわゆる「アラブの春」の余波を受け大混乱していたエジプトの首都カイロに暮らしました。このときの体験をエッセイのかたちでまとめたのが『エジプトの空の下』（晶文社、２０２１年）です。

私はイスラム教という宗教を学問として学び、中東と日本を行き来しながら研究を続けてきました。博士号をとるまでの長く続いた学生生活中は、アラビア語通訳として仕事をすることで、どうにか食いっぱぐれずにすみました。本書において私の話は、髙山先生の話を引き立て、あるいは補完し、ときには先生の記憶を呼び覚ます役割を果たしています。

本書を読み進めるうちに、なんとなく捉えどころのなかった「中東像」が、みなさんの中ではっきりとしたかたち、鮮やかな色彩をもって浮かび上がってくるに違いありません。

髙山先生と私の中東「冒険譚《たん》」を、みなさんと共有できればうれしいです。

飯山 陽

騙されないための中東入門

目次

第2章 中東から見た新冷戦

第5章 知らなかったでは済まないイスラム教

第1部

中東を見れば世界がわかる

第1章

中東の大地殻変動

「アブラハム合意」の衝撃

■なぜ中東はかくも複雑なのか

髙山　飯山さんとこうしてお会いするのは初めてですが、作品は以前より読んでいて注目していました。イスラム法をはじめとしたイスラム思想に造詣《ぞうけい》が深く学ぶところ大です。また、歯に衣着せぬ鋭い筆致で、私よりも毒舌だ（笑）。

飯山　いえいえ、髙山先生には勝てませんよ（笑）。先生は博覧強記で中東にもお詳しい。

髙山　あなたの本はよく話題にもなっていますね。実は私も産経新聞の特派員として１９８５年から87年までイランに赴任したことがあり、１冊ですがイスラム関係の本を書いています（『鞭と鎖の帝国――ホメイニ師のイラン』）。

今回はその中東をテーマに思うところをいろいろ話したいし、聞いてみたいことも山とあります。

欧米と中国およびロシアによる「新冷戦」が激しさを増す中で、米中については多くが語られているのに、なぜか日本では中東というファクターが抜け落ちている。言うまでもなく日本はエネルギーの大半を中東に依存しているし、そこの混乱が国際情勢に与える影響は甚大です。だからこそ、欧米も中露も中東に進出し手を結ぼうとする。逆に言えば、中東を無視して世界は語れないし、それだけ真剣に見つめなければならない。

飯山　日本の中東報道は奇妙に少なく、異様に偏向しています。イスラム法を学んだことのない中東イスラム「専門家」が多いのも、中東に対し多くの誤解を招いている原因です。私は中東というのは白黒はっきりしない広大でグレーなエリアだと見ています。米国に付くか、中露に付くか、といった単純な図式では決して読み解けません。

また一国に注目しても、イラン、サウジアラビア、トルコ、イスラエルなどなど一筋縄ではいかない国ばかりです。日本人にとって中東が難しいのは、多くの民族や宗教、宗派が混在している国が多いという理由もあります。

しかも、タリバン、イスラム国、ハマス、ヒズボラ、アルカイダなど国家をまたいだいわゆる「イスラム過激派」の暗躍が加わるから、なおさら複雑に見える。

さらにイスラム教という宗教も、「宗教は心を救うもの」と思いこみがちな日本人にとっては理解が難しい。自由、平等、平和といった普遍的価値よりも、神の法であるイスラム法を重んじるのがイスラム教徒です。

彼らにとってはイスラム教だけが唯一の正しい宗教なので、仏教や神道も否定されます。しかしイスラム教徒の人口は増加の一途を辿《たど》っています。

髙山　日本でも実はイスラム教徒が増えて、日本人がどんどんイスラム教徒になっている。中東という遠いところの話ではなくなっているし、おまけに中東と欧米の確執もすごい。それを知らないで日本が立ち位置を決めるととんでもないことになる。

この対談ではイスラム教の論理と、中東の歴史を見つめ直し、中東および世界の見方がわかるものにできたらと思います。

■対イランでアラブとイスラエルが接近

髙山　まず大きなトピックとして、今やユダヤ人とアラブ人は仲直りを始めています。イスラエルとＵＡＥ（アラブ首長国連邦）などが手を握りました。

飯山　「アブラハム合意」ですね。２０２０年9月15日、イスラエル、ＵＡＥ、バーレーンの３カ国がアメリカのホワイトハウスで「相互理解と共存、信教の自由を含む人間の尊厳と自由の尊重に基づいて、中東と世界の平和を維持し強化することの重要性」の認識を明記した「アブラハム合意宣言」に署名しました。これによってＵＡＥとバーレーンはイスラエルとの国交正常化を果たしたのです。

エジプトが1979年、ヨルダンが1994年にイスラエルと国交を正常化したのに続き、アラブ諸国でイスラエルと国交を持つのは4カ国となりました。その後、スーダンおよびモロッコもイスラエルと国交正常化しました。

アブラハムはユダヤ人とアラブ人の共通の父祖と信じられています。我々ユダヤ人とアラブ人はアブラハムの子孫同士、ケンカをするのはやめて仲良くなろう、という意味が、この合意には込められています。

高山　おっしゃるとおり、ユダヤ人もアラブ人もセム語系の言語を用いる「セム族」です。旧約聖書に出てくるアブラハムはユダヤ人の祖イサクとアラブ人の祖イシュマエルの父の名ですね。もう兄弟ゲンカはやめてセム族同士の争いはやめようということですね。

飯山　背景にはイランの脅威の高まりがあります。

中東戦争の時代にはイスラエルが悪者でしたが、この構造は変わり、今やイランという悪い奴がいて、中東全体を混乱させているという認識で中東諸国が概ね一致しつつあります。

これは、中東情勢を見るうえで、日本人もしっかりと押さえておかなければならないポイントです。

髙山　それは重要なことです。セム族の兄弟であるイスラエル（ユダヤ人）とアラブ人の間にいさかいがあった。今、兄弟が仲直りしようというときにセム族でもないアーリア人種のイラン（ペルシャ）が「イスラエルを叩き潰せ」と割り込んできて、中東戦争の続きをやろうという。それに対してイスラエルも多くのアラブ諸国が「よそ者は口を出すな」と言っているのが今のかたちですね。

飯山　アブラハム合意の仲介を持ちかけたのは米国のトランプ政権です。イスラエル側もUAEをはじめとするアラブ諸国もアブラハム合意においしいところがあったから乗っかった。

イスラエルにとっても一番危険な相手はイランにほかなりません。イスラエルは常時、イランから支援を受けている武装勢力に攻撃されているからです。すなわち、レバノンの「ヒズボラ」、パレスチナのガザ地区の「イスラミック・ジハード」と「ハマス」で、イランがこれらの武装勢力によるイスラエル攻撃に武器や資金を提供しています。

イランは「イスラエルを殲滅《せんめつ》する」、つまりこの世から消滅させると主張してはばからない。さらに「いつでもイスラエルを攻撃することができる」とイスラエルまで届く弾道ミサイルや飛行距離の長い攻撃型ドローンに加え、水面下では核兵器も開発しています。

髙山　日本のあるテレビ局の解説委員が「イランなどアラブ諸国」とテレビで堂々、中東諸国をひとくくりにしていた。イラン人もアラブ人もお互いに民族を意識して戦ってきた。半世紀前のイラン・イラク戦争ではサダム・フセインはその戦争を「カーディシーヤ」と呼んだ。それは13世紀前、アラブ人が初めてササン朝ペルシャに勝った戦場の名だった。要するにアラブ人とペルシャ人の戦いだと国民に訴え、それで8年間もイラクの民は戦った。そういうことも日本のメディアは知らない。放送後も訂正のひとつもない。それを聞かされる視聴者はなおさら中東が何か、わけがわからなくなる。

飯山　そのようにイランをアラブだと思っている人は多いのです。2021年の東京五輪開会式の中継においてNHKは選手入場でイラン代表が来たときに「イランはアラブ諸国のひとつ」とアナウンスしました。NHKにしてその程度の認識です。

ともかくイスラエルにとって一番の脅威はイランなので、イランの脅威に共に対峙《たいじ》する仲間を地域内で構築することが、イスラエルにとっては死活的な重要課題なのです。

その点、アラブ諸国も一致している。実際に、イランは代理武装勢力を利用して、イラク、イエメン、シリア、レバノンを準支配下においています。

要するにアラブ諸国4カ国が事実上イランに乗っ取られているのです。

しかもイランの代理武装組織であるフーシー派は、イエメンからサウジアラビアおよびUAEに、弾道ミサイルやドローンによる攻撃を行い、これによって死者も出ています。サウジやUAEの基幹産業である石油関連施設にも被害が生じている。

最近ではイランはイラクに直接ミサイルを撃ち込んだりもしている。だからアラブ諸国も対イランでイスラエルと仲良くしたほうがいいと判断しているのです。イランの勢力圏の拡大は中東以外の国にとっても脅威です。

■「パレスチナ問題」で戦争するのは損

飯山　これまでアラブ諸国がイスラエルと対立してきた原因はパレスチナ問題でした。アラブ側の主張は次のようなものです。イスラエルが建国されてパレスチナ難民が生まれた。イスラエルのせいでパレスチナ人が困っている、パレスチナ人はアラブだ、自分たちアラブはパレスチナが国家を持てるようになるまでイスラエルという国を承認しない。このアラブの大義によって、アラブ諸国は「イスラエルという国は認めない」と言ってきました。

日本でも中東といえばパレスチナ問題が最重要課題だとされてきました。

髙山　イスラエルとアラブ諸国との間では１９４８年から１９７３年まで中東戦争と呼ばれる大規模な戦争が４度あった。最後の戦争が終わってすでに50年が経ちました。

飯山　イスラエルが建国されたのは１９４８年で、アブラハム合意が結ばれたのは２０２０年です。すでに70年以上経っているというのに、パレスチナ問題にはまったく進展がありませんでした。

サウジやＵＡＥといった湾岸アラブ諸国は、毎年数百万ドルの資金をパレスチナに援助してきました。ところがそれらの資金は腐敗したパレスチナ自治政府の懐に消えるばかりで、パレスチナには産業もおこらなければ経済政策もない。パレスチナ人がテロをやるのは、テロをすれば自治政府から年金がもらえるからです。資金面だけではなく、湾岸諸国は中東戦争に見るように、体を張ってパレスチナの味方をしてきた。１９７３年に湾岸諸国が西側への石油販売をボイコットした（オイルショック）のも、パレスチナのためです。ところがパレスチナ自治政府はイラクによるクウェート侵攻を支持したり、カネが足りないと湾岸諸国に文句を言ってきたりする。パレスチナは恩知らずの裏切り者、というのが、今のアラブ諸国の共通認識です。

この先、アラブ諸国がパレスチナ国家ができるまでイスラエルを認めないと言い続けたところで、パレスチナ国家建設など実現されるわけがない。そのことをトランプ政権もアラブ諸国に力説しました。

こうしてアラブ諸国は、パレスチナ国家の建設こそ諦《あきら》めていませんが、やり方を変えることにしたのです。すなわち、アブラハム合意を結んでイスラエルと仲良くし、イスラエルと経済的、軍事的、外交的な関係を構築することによって、みんなが納得のいくかたちでパレスチナ国家の樹立を目指すことにしたわけです。

髙山 振り返ってみれば、米国では民主党政権よりも、イラク戦争を起こしたブッシュ政権を除き、おしなべて共和党政権のほうが平和的でした。トランプ政権も共和党政権です。

飯山 トランプ政権はアブラハム合意を結ばせるためにアラブ諸国にいろいろな条件を出しました。たとえば米国は西サハラの領有権をモロッコに認めるという条件で同国にイスラエルとの国交正常化を持ちかけた。モロッコは長年、西サハラ独立を目指す武装勢力ポリサリオや、それを支援するアルジェリアと対立してきたため、こうした条件を出されたことで、イスラエルと国交正常化したほうが自国にとって得だと気づき始め、アブラハム合意に乗ったわけです。他のアラブ諸国でも同様のことが起こっています。

サウジも今はまだイスラエルと国交正常化はしていません。しかし経済関係や外交関係の構築は進んでおり、ユダヤ人に対する嫌悪や敵意を教育の場で子供たちに教え込むこともやめました。

反ユダヤ教育はＵＡＥやエジプトなどでも改善されつつあります。アラブ諸国は軒並み、若年人口が多い。次世代のアラブ人とユダヤ人の関係は、今よりもっと豊かで実り多いものになると期待できます。

ほかにもアラブ諸国には、イスラエルと仲良くすることによって得る大きなメリットがあります。

イスラエルの医療技術、ＩＴ技術、軍事技術などを取り入れられることです。この取り組みはアブラハム合意を締結した直後からすぐに始まりました。すでに学生同士の人材交流、各種のＩＴプロジェクトの共同の立ち上げなどがどんどん進んでいます。また、軍事や安全保障の分野に踏み込んだ協力もスタートしています。たとえばモロッコはイスラエルのドローン工場を自国に誘致することになりました。

もともとイスラエルの持っている軍事技術やＩＴ技術は、世界中の国が喉《のど》から手が出るほどほしいものです。

もちろん日本もほしい。２０２２年8月にベニー・ガンツというイスラエルの国防相が訪日し、日本の浜田靖一防衛相と共に「日本国防衛省とイスラエル国防省との間の防衛交流に関する覚書」に署名し、「防衛装備・技術協力や軍種間協力を含め、両国間の防衛協力を引き続き強化していく」ことで一致しました。

これまで日本は、アラブ諸国に配慮してイスラエルとは仲良くしてはいけないという事情がありました。したがって、アブラハム合意は日本にとっても都合がいいのです。

髙山　日本が石油を確保するためにアラブ諸国に気を使い、イスラエルと距離を置いていた時代には、日本人観光客が飛行機でイスラエルに行くと、空港の通関でパスポートに入国スタンプを押すか聞かれたものです。押してあればアラブ諸国には入れない。だから「押さないでください」と言えば、別に入国証を出してくれた。アラブに弱い日本の立場を理解したスマートな対応をしてくれた。

飯山　今はイスラエルとアブラハム合意を結んだアラブ諸国との間では、お互いに直行便を飛ばしています。アラブ諸国では「ユダヤ人の悪口を言うのをやめよう」と呼びかけるようになりました。

もともとアラブ諸国には反ユダヤ主義、あるいはユダヤ陰謀論が根付いています。アラブ人は誇り高く、また世界で唯一の正しい宗教であるイスラム教を信じている自分たちこそが世界の覇者であってしかるべきだと信じています。ところが、アラブ諸国の現状は繁栄している先進国とくらべてちょっと物足りない。一番繁栄しているべき自分たちがイマイチなのは世界をユダヤ人が支配しているせいだと思うことで溜飲を下げてきました。この「ユダヤ陰謀論」がアラブ・イスラム教徒の心の支えになってきた。だからユダヤ人の悪口を言うことは、彼らの心の葛藤を処理するうえでも重要だったのです。

しかし、いくらユダヤ人の悪口を言ったところでアラブ人は繁栄しない。もちろんパレスチナ国家もできない。それにアラブ人たち自身が気づいてしまったことも、アブラハム合意締結を後押ししました。

■米国の支援金がテロリストの報酬に

飯山　パレスチナ人についても日本の中には誤解があります。パレスチナ人は確かに不遇な状況におかれていますが、その元凶がパレスチナ自治政府であることは、ほとんど知られていません。

パレスチナ自治政府は大量の公務員を抱えていますが、これは自治政府から給料を支払うことで支持者を自治政府に繫《つな》ぎ止めるためです。この給料は１００％が海外からの支援金であり、そこには日本からの支援金も含まれています。さらにパレスチナ自治政府はイスラエル人を攻撃したり殺したりした人物を英雄視し、当人やその家族に年金を支払っています。パレスチナは失業率がとても高い。食いっぱぐれないための手っ取り早い方法として、テロがあるのです。

もともと自治政府の一番のスポンサーは米国政府でした。しかしトランプ政権のときにイスラエルに遊びに行った米国のテイラー・フォースという名の退役兵がパレスチナ人のテロリストに殺された事件を機に、パレスチナ自治政府への支援金が問題視されるようになった。というのもテイラーを殺したパレスチナ人は英雄として讃えられ、その家族には報奨金が支払われているという事実が明らかになったからです。アメリカがパレスチナ自治政府に援助した資金が、アメリカ人を殺害したパレスチナ人テロリストに報酬として支払われる仕組みは明らかにおかしいという批判が噴出し、2018年には対パレスチナ資金援助を制限するテイラー・フォース法が成立しました。

このいわゆる「殺しの報酬」については、パレスチナ自治政府は「正当な制度」だとして開き直っており、改める姿勢すら見せていません。この支払いを始めたのはアラファトだとされています。

ヤーセル・アラファトはファタハという武装組織を結成し、対イスラエルのゲリラ戦を戦ってきた人物です。このファタハがのちに、パレスチナ解放戦線（PLO）の主流派となりました。今のパレスチナ自治政府の主流派もファタハです。

しかしバイデン政権になってから、以前の話がまるでなかったかのように「やはり支援金を払います」と言って、またパレスチナ自治政府に支援金を払い始めています。テロリストに報酬を支払うパレスチナ自治政府に米国が資金援助するという制度は、今も続いているのです。

高山　イランも、パレスチナ自治区ガザを実効支配するハマスに資金援助しています。ガザ地区には、米国や日本も人道支援などの名目で資金援助をしている。イランと米国が同じところに支援金を出しているというのも、よく考えると奇妙な話です。

イランは国家予算の半分くらいを支援に使っている。それでイラン人たちは福祉も何も置き去りにされ、物価高も重なって反政府運動が激しくなっている。

飯山　イランが2018年に外国の武装勢力に援助した資金の総額は160億ドルとされています。イランのGDPは日本の3分の1程度ですが、その国が、日本の国防費の半額ほどにあたる資金を武装勢力に援助しているというのは、極めて異常な事態です。一方、イランの国民は飲み水もない、パンも買えないと貧困に喘《あえ》いでいる。イランは国民の半数以上が貧困ラインを下回る生活をしています。
イランでデモをやる人たちは「俺たちはガザなんてどうでもいいんだ」「ガザは勝手にしろ」「俺たちにパンをよこせ」と叫んでいます。なぜイランの国民を助けないでガザなどにお金を出しているのか。それはイラン人の素朴な不満なのです。

高山　ペルシャ人のイラン国民からすればセム族同士のパレスチナとイスラエルの兄弟ゲンカなど本当に知ったことではない。

飯山　イスラエルはガザから労働者を受け入れています。ガザには仕事がなくて、ガザの人が食いっぱぐれているからです。イスラエルは、ガザは中東のシンガポールになることができると言い、何度も公式に経済開発や投資の呼び込みについて提言しているのですが、ハマスはこれを拒否しています。ガザには豊かになる潜在力があるのに、そこを実効支配するハマスは、自分たち幹部が放蕩《ほうとう》のかぎりを尽くすこととテロとイスラエル殲滅にしか関心がない。
また、ガザなどにあるパレスチナ難民キャンプは、その呼び方だけで悲惨な状況を思い浮かべるでしょう。ところが実際には、パレスチナ難民キャンプよりもエジプトのスラムのほうが悲惨な側面もある（飯山陽『エジプトの空の下　わたしが見た「ふたつの革命」』）。エジプトのスラムはパレスチナと違って「日陰の存在」ですから、国際的支援もない。学校もない。病院もない。下水もない。ほとんどの人は小学校すら卒業しないまま、毎日食うや食わずの生活です。

それに比べるとパレスチナ難民キャンプはＵＮＲＷＡという国連パレスチナ難民救済事業機関が入り、手厚い保護をしている。ＵＮＲＷＡの運営する学校では今もイスラエル人を殺して殉教することこそが正義、という極端なヘイト教育が行われています。日本はここにも多額の資金を提供しています。

高山　どこでも国連が入って難民救済の事務所を置くと何でもしてくれます。それを地元が利用しているだけ。アフガンでの話だけれども難民救済のために日本から支援品が山と送られてくるけれど、肝心の難民キャンプはみな空き家。「援助が来るぞ」と誰かが招集をかけ、難民を装う人たちが戻ってくる。援助を受け、国連の職員が立ち去ると、援助の品々は梱包されたままどこかのスーパーマーケットに運ばれてそこに並べられている。日本人が考えているような悲惨な状況にはなっていません。

■アラブの「ユダヤ陰謀論」も終了？

高山　米国のカリフォルニアの空港の南にマリナ・デル・レイという太平洋に面した高級リゾート住宅街があります。もともとは何もない九十九里浜みたいな海岸線を陸に向かって穿《うが》ってヨットハーバーを設立、高級ホテルリッツカールトンも誘致した街をつくり上げた。ロサンゼルスのダウンタウンからそれこそ30分で行ける。

開発したのはユダヤ系米国人企業家で、これで当てて自身はベルエアの高級住宅街に壮大な屋敷を持っていた。ところがそのマリナ・デル・レイの利権がそっくり持っていかれた。乗っ取ったのはのちにサウジ国王となる人物だった。企業家は彼に手もなく騙《だま》された。ロスのユダヤ人社会に行って話を聞くと、「ユダヤ人が7人かかってもアラブ人1人にかなわない」という。それほどアラブ人は強《したた》かだと。

地元では「ベルエアからウエルフェアへ（豪邸から生活保護へ）」と言われている。中国人や韓国人にもころりと騙される日本人にはそんなアラブ人集団を手玉に取る欧米という国々が空恐ろしく見えます。

飯山　私はアラビア語を話すのですが、アラブ人の会話を聞いていると実に面白い。反ユダヤ主義も私からすると大喜利の風情です。私はエジプトに長く住んでいたのですが、おじさんたちが「お前は、こんな話を知っているか」と、いかに面白い反ユダヤ主義の陰謀論を言えるかを競っているのです。

たとえばエジプトの海にはサメがいて、たまにビーチにやって来て人を食い殺すことがあります。それをこう解釈するのです。「知っているか、お前。あのサメはモサドのスパイなんだよ」（笑）。モサドはイスラエルの諜報機関です。

「モサドか！」

「あのサメはチップを頭にうめこまれていて、エジプトに行って人を食い殺すようにコントロールされている。ユダヤ人は恐ろしいぞ」

そうやってユダヤ人をネタにした笑い話になるのです。

髙山　米国でユダヤ人が「アラブ人くらい、狡《ずる》くてどうしようもないのはいない」と言うのと似ている（笑）。

飯山　だから、アラブ人の反ユダヤ主義と言っても、そんなにドロドロしたものではないし、ユダヤ人をくさしてうさばらしをするのがひとつの文化として根付いているという側面があります。

でも今や、アラブ諸国も変わろうとしている。庶民のレベルで意識が変わるまでには時間がかかるかもしれませんが、国は外交や教育の面からすでに改革に着手しています。一方のイスラエル側からすればアブラハム合意は、敵が減るので好都合です。

髙山　だって、イスラエルは４度も戦争を仕掛けられたうえに、戦争の間も投石やロケット弾も使ってしょっちゅう小競り合いをやってきましたから。いい加減うざったいのでしょう。

■自爆テロが天国への道

飯山　２０２２年８月もイスラミック・ジハードが１０００発以上のロケット弾をイスラエルに撃ち込みました。ロケット弾１０００発といっても実感が湧きにくいでしょうが、１発でも着弾すれば家屋は破壊され人が死にます。

私はエジプトのカイロに住んでいたとき、直行便で1時間足らずと近いのもあって、イスラエルのテルアビブによく遊びに行っていました。２０１４年7月には、たまたまテルアビブ滞在中に、ハマスのロケット弾が大量に撃ち込まれるという経験をしました。

今のイスラエルにはアイアンドームという迎撃システムがあります。だから、ロケット弾が飛んでくると、それでいちいち全部撃ち落とすわけです。撃ち落とさないとロケット弾がどこに落ちるかわかりません。

テルアビブではロケット弾がビューンと飛んできて、それをアイアンドームがドーンと迎撃し、花火のように散るのが眺められたのです。基本的にはロケット弾が飛んでくると警報が鳴り、シェルターに避難するのですが、迎撃の光景を眺めているイスラエル人もいました。

髙山　イラン・イラク戦争のときのことを思い出す話です。イラク機は正確に６時間ごとにテヘランに飛んできて爆弾を投下していったんだけど、イランには迎撃する戦闘機も対空ミサイルもないから落とすに任せていた。パーレビ国王時代に整備された空軍はすべて米国だった。日本と同じですね。ところがホメイニ師のイスラム革命で米国とは国交断絶した。結果、Ｆ４ファントムやＦ14トムキャットの部品も空対空ミサイルも輸入ストップ。丸腰戦闘機ではイラク機に勝てなかった。市民も初めは恐がっていたけれど、だんだん慣れっこになって、６時間ごとの空襲を時計代わりにしていた（笑）。

飯山　イスラエルがアイアンドームを開発したのは、イスラムの武装勢力がロケット弾を撃ってくるからです。迎撃しないとイスラエルは火の海になり、イスラエル国民が大量に死にます。彼らは国防のために必死で技術開発をしている。
以前は自爆テロでした。それを防ぐために壁をつくったのです。壁のおかげでテロリストも車で突進して来ることができなくなりました。すると壁を乗り越えられるロケット弾テロが増えた。

髙山　パレスチナのガザ地区でジハード（聖戦）という名の自殺攻撃が始まったとき、ＡＰ通信は「自殺攻撃をやるのはイランがスポンサーになってからだ」と報じました。

自殺特攻という考え方がスンニ派のアラブ人社会にはなく、シーア派イランからの輸入戦法だったと。

米政府もそれを追認しました。その一例が1995年ガザをバスで旅行中の米国人女学生がパレスチナ人の自殺特攻の巻き添えで死んだ事件です。事件を重視した米議会はそうした被害についてテロ支援国家に責任を取らせるという法律をつくりました。死んだ女子学生の名を取って「アリサ・フラトー法」と呼ばれています。

それでアリサの家族がこの法律を元に訴えを起こし、米連邦地裁は「自爆テロを支援したのはイランと認定し、1998年、イラン政府に2億4700万ドルの賠償金の支払いを命じました。対してイランは証拠もなしのテロ支援にはうなずけないし、だいたい事後立法じゃないかと支払いには応じていません。

ただ、米法廷がそう認定した根拠が面白かった。イランには、13世紀ごろに成立したアサシン（暗殺者）の伝統がある。敬虔《けいけん》な若いイスラム教徒をある日、天国に連れていく。そこには清い流れと何人もの処女が待っていて桃源の世界にいざなう。元の家で目覚めた若者に死ねばあの天国が待っていると吹き込んで暗殺をやらせた。AP通信の記事はその伝説がガザでまことしやかに語られ、死ねば本人は天国に行き、残された家族にはかなりの年金が提供されると伝えた。天国はイランのアサシンよりもっと豪華になっていて美女の数は72人に増え、それも「金髪碧眼の女」になっていると伝えている。

飯山　その「永遠の処女」はフーリーと言われていて、イスラム教の啓典『コーラン』でも言及されています。預言者ムハンマドの言行録であるハディースには、特にジハードで殉教した殉教者に72人のフーリーが妻として与えられるという言及もあります。イスラム教徒なら誰でも知っている、非常に有名な話です。

■イラン核合意をめぐる大統領たちの戦い

飯山　今のイラン・イスラム共和国は1979年のイラン・イスラム革命により樹立されました。この直後、革命を逃れたパーレビ国王を受け入れた米国に怒った「革命家」たちがテヘランの米国大使館に突入し、米国人52人を444日間拘束し続けました。以来、イランは米国を不倶戴天《ふぐたいてん》の敵と位置づけ、米国を「大悪魔」と呼んできました。米国打倒はイスラエル殲滅と並ぶイランの国是です。

イランは自他共に認める反米国家ですから、歴代の米国大統領もイランを脅威と捉え、テロ支援国家と位置づけ、制裁を軸に牽制《けんせい》する姿勢をとってきました。

これを変えたのがオバマ大統領です。彼はいわゆるオバマ・ドクトリンで、中東を安定させるにはサウジがイランと地域を「共有」する必要がある、と述べました。中東の親米国家であるサウジの一強状態が、中東の混乱の元凶だという認識です。サウジを突き放しイランに力を与えれば、中東の勢力均衡が図られ、米国は中東から手を引くことができるという安易な考えで、オバマ大統領は２０１５年、イラン核合意を結びました。その背景には、イランを除け者にするのではなく、国際社会の仲間入りをさせてやれば、イランはきっと「改心」するというリベラル独特の思い上がりもあったと言えます。

この後、米国はイランへの制裁を解除し、１５００億ドルに上ると推定されるイランの資産を解放し、４００人近いイラン人を制裁リストから外し、米国とのビジネスを許可しました。イランは再度、世界の金融システムに参入し、石油輸出も再開され、めでたく国際社会に復帰したわけです。

ではこれによってイランは「改心」し、中東は勢力均衡で平穏になったかというと、現実はまるで違った。

イエメンのフーシー派が民間人を標的に発射するロケット弾は増加し、シリアにはヒズボラの戦闘員が配備され、ハマスによるイスラエルへの攻撃も増加した。フーシーもヒズボラもハマスも、イランの代理武装組織です。

要するにイランは、制裁解除によって手に入れた資金を、国の発展や国民の福利のためではなく、テロと戦乱を拡大させるために使った。

イランの行動は、米国海軍に嫌がらせをしたり、米国人を拘束したり、投獄したりするまでにエスカレートしました。最高指導者ハメネイ師は「アメリカに死を」と繰り返し、米国への敵意を扇動し続けました。

イラン核合意に象徴される対イラン宥和政策を否定したのが、トランプ大統領です。トランプ氏は、イラン核合意にはイランの核開発を止める効果も、イランの中東諸国に対する敵対行為を止める効果もないと判断しました。これは、イスラエルやサウジといった、中東の親米国家の認識とも一致します。

トランプ政権がイラン核合意から離脱し、アブラハム合意成立に向けて動いたのは、それが中東地域安定、ひいては米国の国益にもなるという見立てがあったためです。

しかしオバマの中東政策を継承したバイデン政権は、イラン核合意を再建しようとしている。このバイデン氏は、大統領選挙のときからサウジを「除け者国家」呼ばわりし、敵意をあらわにしてきました。ところが２０２２年2月にロシアがウクライナに軍事侵攻した影響で原油高が加速し、米国でもガソリン価格高騰などの影響が出て、自分の支持率も落ち込んできたと見るや、サウジを訪問し、原油増産を要請しました。

髙山 しかし、サウジは増産に応じるどころか、ＯＰＥＣプラスは10月に11月から世界の原油生産の２％の減産を行うことで合意した（笑）。

イランとサウジを戦わせるなんて、民主党が考えそうなことだ。

飯山 世界最悪の反米国家にして世界最悪のテロ支援国家であるイランに力を与えれば中東は安定するなど、まったくリアリズムに欠けるお花畑的な妄想です。

髙山 ところで、オバマのフルネームはバラク・フセイン・オバマ。ミドルネームはフセインです。

飯山 お母さんは米国人で、お父さんはケニア人でイスラム教徒です。

ということは、イスラム教の教義に基づくとオバマはイスラム教徒だということになります。一方米国では信教の自由が保障されているので、米国法上はオバマがイスラム教徒をやめることに問題はないわけです。オバマ自身も父親について、イスラム教徒だったが無宗教に近かったと振り返っています。しかしイスラム諸国のイスラム教徒から見れば、あいつは棄教者だという扱いになる。棄教はイスラム法では死刑に値する大罪です。

髙山　米国の新聞もオバマのミドルネームは絶対に使いませんね。

飯山　基本的には書かないと思います。イスラム諸国の人々はオバマの棄教疑惑に加え、オバマ政権の中東政策のせいで「アラブの春」が起こり、そのせいで中東は大混乱に陥ったと思っているので、オバマのことが大嫌いです。

中東メディアはバイデン政権をオバマ政権の継承だと認識し、警戒しています。つまり、バイデンもオバマがやったように、アラブの親米国家を見捨て、イランの味方をするつもりだろうという見立てです。ロシアがウクライナに軍事侵攻した際、米国と歩調を合わせることを拒否した背景には、このような事情もあります。

髙山　ロシアはバイデンだったからウクライナ侵攻をやったのでしょう。

飯山　バイデンは「ロシアがウクライナに侵攻しても米国は絶対に参戦しない」と断言しました。米国は戦争が始まる前から自ら、抑止力を放棄してしまったのです。この発言が、ロシアをウクライナ侵攻に走らせたひとつの要因にもなったと言えます。

髙山　歴史を見ると米国の民主党はいつも戦争をしたがり、実際、第一次大戦も第二次大戦も因縁を付けては参戦してきた。いわば戦争屋ですね。

飯山　トランプ政権は独裁国家に対しては強い圧力を与え、越えてはならないレッドラインを明確にしてきました。２０２０年１月には、イランの対外工作を主導し、中東にテロを拡散してきた革命防衛隊のソレイマニ司令官を殺害しました。北朝鮮にも圧力をかけていましたから、金正恩《キムジョンウン》はソレイマニ暗殺を見て、次は自分かもしれないと恐怖に慄いた可能性もあります。

髙山　米国は斬首作戦もほのめかしていたから。

飯山　トランプ政権は2018年には、シリアのアサド政権が化学兵器を使用した疑惑が浮上すると、シリアの化学兵器工場などに対し大規模なミサイル攻撃を行いました。レッドラインを越えれば米国は許さないという、強いメッセージです。これには、独裁国家の暴走を防いだり、戦争を抑止したりする効果がありました。

イスラムの世界征服は本気だ！

■デモ多発も万全なイランの国家体制

飯山　イランと中国は2021年、25カ年におよぶ包括的協力協定を結びました。イランが市価より大幅に値引きした価格で中国に石油を売り、中国はイランに4000億ドルもの投資をすることになっていると報じられています。中国の投資はエネルギー、銀行、通信、インフラにまたがる幅広い分野に及ぶとされています。

髙山　イランと中国は似ている。それはともかく、イランの経済はとっくに破綻《はたん》してるでしょう。私がイランにいた１９８０年代は闇ドルで１ドルが１４００リアルまで下落していた。イラン・イスラム革命の立役者でイデオローグでもあるホメイニ師の死後はさらにリアルは下落していた。

今はもっとひどい。公定レートで１ドル４万２０００リアルで、市場レートとなると何と1ドル30万リアル前後。イランは経済的には本当にアウトみたいに見える。

飯山　ところがイランの経済状況は中国と協定を結んだ２０２１年以降、ぐんぐんと改善しています。イランも最近、石油の売上高や輸出額が顕著に改善しているということを具体的な数字で発表しています。それはやはり２０２１年から中国が石油を買ってくれているからです。

国連からの二次制裁を回避するため、中国は表向きはオマーンなどの国から石油を買っていることにしています。形式上、イランから石油を買っているのは「ティーポット」と呼ばれる中国の民間製油業者なのですが、実質的には中国政府が買い入れているわけです。

髙山　しかしイラン経済が立ち直るか疑問がある。イランは各地の武装勢力に資金を提供している。その分、国内政治がお留守で、治安は乱れている。

飯山　問題は、イランが石油収入を得られるようになっても、その利益が一般国民にまったく還元されない点です。イラン経済を支配しているのも最高指導者で、カネは国民の福利ではなく、体制の維持と、国是である「革命の輸出」のために優先的に使われます。イランというのはとにかく、「普通の国」ではないのです。

イラン経済は数字上では上向いているのに、イラン国民の半数以上は今も貧困ライン以下の生活を送っている。石油は出るのに、飲み水すら満足に手に入らない国民も多いのです。イランには国営企業が多いのですが、数カ月間給与が未払いのままという場合も多く、労働者のデモやストライキが頻繁に発生しています。

イランの狡猾《こうかつ》なところは、こうした抗議活動が体制打倒に結びつかないように、あらかじめ「革命封じ」とも呼べる体制を構築している点です。

イランには国軍とともに、革命防衛隊という軍事組織があります。革命防衛隊はイランの最高指導者直属で、その役割は革命を防衛し、さらに輸出することです。革命防衛隊は軍事組織であり、なおかつ多数の産業を傘下に持つ軍産複合体であり、イラン経済の半分を牛耳っているとも言われています。この革命防衛隊の存在が、国軍によるクーデター抑止の役割も果たしているのです。

高山　イランは、イランの最高指導者が世界の全イスラム教徒の指導者であるという主張をやめていない。

飯山　イランの初代最高指導者が、イラン・イスラム革命のイデオローグでもあるホメイニです。最高指導者はイランにおけるイスラム教シーア派の最高位のイスラム法学者だという位置付けになっている。イスラム法学者がイスラム法によって統治するというのが、イランの体制です。

この体制を支えるのが、最高指導者直属の革命防衛隊です。革命防衛隊の下部組織としてバシジという民兵組織があります。バシジのメンバーは政府機関や国営企業だけでなく、学校や大学、民間企業などにも存在していて、体制に反対する意見や抗議活動を検知、抑圧する役割を担っています。工場労働者や学生がデモを起こすと、真っ先にその制圧に動くのがバシジです。イランではデモをすること自体が基本的に犯罪行為なので拘束される可能性があるうえに、殺されることすらある。抗議をする人たちは命懸けです。日本で警察に警護されながらデモをする人たちとはまったく違います。

高山　イランにいたころはパシジと出くわしたことが何度かあった。夜、車を運転していると、銃を手に横隊を組んで道路を封鎖して検問していた。革命防衛隊に入りたいけれどまだ若すぎる子供たちを中心に編成された志願兵と言われていた。12歳から13歳という中学生くらいの年齢もいて、戦場でも活動していた。かなり狂信的な連中でした。今思うと、カンボジアのクメール・ルージュの少年兵と共通した目つきで、なんかに取りつかれたような印象があった。

■イスラエルと米国を倒し世界征服をするのがイランの野望

高山　イランの大統領選の話をすると、直近の2021年6月の大統領選では、イブラヒム・ライシが大統領に当選した。ところが投票率は過去最低の48・1%で、半数以上の人が投票をしていない。だから投票総数はうんと低い。要するに、もう国民は宗教政権、イスラム宗教政権にうんざりしている。そのことを日本人は知らない。

飯山　イランは形式上は共和制で、大統領は選挙で選ばれることになっています。しかし大統領選挙に立候補することができるのは、最高指導者が指名したイスラム法学者たちからなる護憲評議会によって立候補が認められた人物のみです。最高指導者の意向に沿わない人間は、そもそも大統領選に立候補することができません。

最高指導者を指名するのは専門家会議というイスラム法学者からなる組織で、この組織のメンバーも選挙によって選ばれることになっているものの、これに立候補できる人も護憲評議会の承認を得る必要があります。つまり、最高指導者が選んだ人々が最高指導者を選ぶわけで、実質的な寡頭制です。これは民主主義には程遠い。この体制を批判する人々は、イランを「モッラー（イスラム法学者たち）どもの支配する国」と揶揄《やゆ》します。モッラーはあくまでもイスラム法学者であり聖職者ではないのですが、日本語の「坊主」に近いニュアンスがあります。

髙山　ターバンを頭に巻いてね。イランにはまともな人間はいないのか、と思うくらい坊主ばかりの政権が続く。ターバンにはアラブ系の坊主が黒、そうでない坊主が白という違いがあります。ハメネイ師とホメイニ師は黒いターバンで、ムハンマドと同じ血筋にあると説明された。アラブの血が入っていることを誇る。誇り高いペルシャ人はそうは考えないから聖職者を見る市民の目は冷たかった。

ともあれ、シーア派をベースにイスラエルを叩き潰してイスラムの王あるいはイスラムの支配者になりたいというのがイラン坊主政権の夢だと私は思っている。

飯山　イランの憲法前文には「他のイスラム運動や民衆運動とともに、単一の世界共同体を形成するための道を準備する」ことがイランの目標だと謳《うた》われています。注目すべきは「イスラム運動」だけではない、他の「民衆運動」もここに含まれている点です。彼らの目指すのは、イランのイスラム体制によって世界を支配することですが、自分たちが先頭に立って世界中の「被抑圧者」を解放するのだという建前をとっている。これは世界の左翼勢力を味方につけるためです。

高山　とはいえイランは左翼を徹底的に殺していた。それも残酷な石打ち刑で。

飯山　それはイラン国内においては左翼は反体制派だからです。１９８８年には左翼の反体制派組織モジャーヘディーネ・ハルグの関係者を中心に５０００人近くが処刑されたと見られています。この処刑に法的お墨付きを与えた、いわゆる「死の委員会」のメンバーの１人が、今のライシ大統領です。

イラン国内では左翼は弾圧されますが、国外の左翼はイランにとって反米仲間です。ベネズエラや北朝鮮がその代表格です。イランの目標は「大悪魔」アメリカを打倒し、米国一極支配を打破することですから、その目標を共有するロシアや中国とも接近し、協力する。

高山　ホメイニ師がいたときにイランで生活していてやはり感じたのは、イラン人は民族的にペルシャ人の王朝を再興したい、と思っているようだった。

第一次世界大戦が始まったときに英国は、映画「アラビアのロレンス」で有名なトーマス・エドワード・ロレンスを中東に派遣した。女性の中東学者のガートルード・ベルも早くから中東研究に取り組んでいた。彼女は当時からスンニ派のアラブに対して、シーア派を強く警戒していた。

第一次大戦が終わった後、エジプトのカイロでロレンスとベル、それに英国の植民地大臣だったウィンストン・チャーチルらがオスマン帝国から奪った中東について話し合っています。このとき、ベルはチャーチルに対して「絶対にバグダッドにシーア派政権を置いてはいけません。置けば必ず紛糾の元になります」と忠告した。

今、イラクのバグダッドには米国の差し金でそのシーア派政権が置かれている。それはベルの忠告を知らなかったわけじゃない。むしろ知っていたからわざとシーア派政権を置いて中東の混乱を生み出そうとしている。バグダッドはスンニ派のアラブ人にとって政治の中心地というイメージがある。そこに異端のシーア派を置けば混乱が起きるのは当たり前のこと。ベルのチャーチルへの言葉は今日の中東の現状をみごとに言い当てている。

■「八方美人のコウモリ国家」トルコ

飯山　トルコはNATO（北大西洋条約機構）加盟国で、欧米諸国と軍事同盟を組んでいます。にもかかわらず、中国とロシアが主導する安全保障機構である上海協力機構の対話メンバーでもあり、ここに正式加盟したいと公式に表明している。NATO加盟国なのにロシアのミサイル防衛システムを導入したり、NATO加盟国がウクライナに軍事侵攻したロシアに制裁をしてもトルコはそこに加わらない、といった動きをしています。トルコは制裁でEU諸国を追われたロシアの富豪や資金、ロシア人観光客も受け入れ、一方ではウクライナに攻撃型ドローンを売ってもいる。「親日」だといってトルコを持ち上げる日本のメディアは、トルコを「中立」とか、バランスの取れた外交をしている云々と高く評価しますが、実態は迂闊《うかつ》に信用してはならないコウモリ国家です。

髙山　トルコは以前、オスマン帝国（1299〜1922年）という大帝国だった。英国がかつての大英帝国の夢を見るように、トルコもかつてのオスマン帝国の復活を夢見ているのじゃないか。トルコとしては自分が持っていた中東を欧米が勝手に荒らしたという思いがある。

飯山　トルコのエルドアン大統領は演説でしばしばオスマン帝国に言及し、トルコ共和国はオスマン帝国の持っていた領土を支配して然るべきだと訴え、ナショナリズムを煽っています。「オスマン帝国復活」がエルドアンの野望だということは、よく知られています。

髙山　中東も近東もトルコのものだという考え方だね。中央アジア、中東、エジプトからマグレブ（リビア、チュニジア、アルジェリア、モロッコなど北西アフリカ地域の総称）まで持っていたオスマン帝国はものすごい大帝国だった。第一次大戦に負けて、１９２３年７月に第一次大戦の連合軍との間で結んだ「ローザンヌ条約」で、多くの領土を英国、フランス、米国、イタリアあたりに持っていかれた。気がつけば領土が小さくなっていた。それは帝国にはものすごく屈辱的なことだった。

飯山　だからトルコは今でも、自分たちにとって屈辱的なローザンヌ条約を無効だと主張しています。しかし無効だと言っても、トルコが勝手にドイツ側に付いて第一次大戦に参戦し、それで負けたから領土を取られたというだけの話なのです。

髙山　トルコが第一次大戦に参戦したからこそ、英仏も中東を取るために参戦した。英仏にはもともと、オスマン帝国の領土はおいしいところだという考え方があったのではないか。

飯山　オスマン帝国の領土は、東は今のイラク、西は今のアルジェリアまで及んでいました。モロッコを支配することはできなかったので、モロッコでは17世紀に興った王朝が今も続いています。

トルコは独立を目指すクルド人組織ＰＫＫをテロ組織指定しているのですが、ＰＫＫが隣国イラクにも拠点を持っている、これはトルコにとっての脅威だと主張して、イラク北部をしばしば空爆しています。空爆しているだけではなく、前線基地を設けてトルコ軍を駐留させている。しかもこうしたトルコの軍事作戦では一般のイラク国民やヤジーディー教徒などのマイノリティも犠牲になっています。イラクは主権侵害だと抗議していますが、トルコにとってそれは自国の安全保障のためであると同時に、そもそもイラクは自分たちの領土であるはずだ、という思いもある。

トルコはエーゲ海の島々やキプロスもトルコの領土であって然るべきだと考えています。トルコ海軍は「青い祖国」ドクトリンという行動指針を掲げているのですが、ここではローザンヌ条約で設定されたトルコの領域が否定され、ギリシアやキプロスを含む領域こそがトルコなのだとされている。実際にトルコはエーゲ海に軍艦を出したり、戦闘機を飛ばしたり、ガスの掘削作業を強行したりしている。これはギリシアやキプロスからすれば嫌がらせを超えた、深刻な脅威です。中国やロシアが日本に対してやっているようなことを、トルコは東地中海でやっていると考えればわかりやすいと思います。

髙山　オスマン帝国は15世紀のメフメト2世のころまではちゃんとしていた。トルコはもともと中東に占有権を持っていて、その点では偉大な国でした。

飯山　しかし、今ではみんなに嫌われています。

ウイグル人を中国に売ったエルドアン

髙山　トルコ人は民族的にはチュルク系で、ソグド人やウイグル人もそうだね。

飯山　だからトルコはこれまで、中国共産党の迫害を逃れてきたウイグル人亡命者を多く受け入れてきました。その数は5万人にのぼるとも言われています。しかし今は違う。ウイグル人を中国に強制送還した事例が多数報告されています。これはトルコが中国依存を強め始めた時期と重なります。トルコは人権問題などで米国から制裁されたこともあり、経済的に窮地に陥ると、中国からの莫大な投資や融資を受け入れるようになりました。エルドアンは中国を訪問し、「犯罪人引き渡しに関する二国間条約」にも調印しています。トルコは「身内」であるウイグル人を、カネで中国に売り渡したに等しい。

ＮＡＴＯ加盟国でありながら、２０２２年のロシアによるウクライナ侵攻の際に、対ロシア制裁に加わらなかったのもカネのためだという側面があります。トルコは長く経済不振、通貨安が続いており、ＥＵから追い出されたロシア資本を受け入れるほうが得策だと踏んだ。ロシア企業は今や、トルコを拠点にビジネスをやっています。このようにしてトルコはロシアの制裁逃れに協力しているのです。

髙山　トルコはＮＡＴＯに加盟していて平気でそんなことをしているんだ。

飯山　米国はトルコに対し、このままロシアの制裁逃れに協力し続けるならばトルコに制裁する可能性がある、と警告しています。制裁はロシアにウクライナ侵攻をやめさせるためにやっているわけですから、これは要するにトルコのせいでウクライナ戦争が長引くことにもなるとも言えるわけです。

これは深刻な利敵行為であり、ＮＡＴＯ諸国は内にトルコという問題を抱えているジレンマに悩まされている。トルコはウクライナともロシアとも良好な関係を保つ中立で素晴らしい国だ、などとおめでたいことを言っているのは、国際感覚に疎い平和ボケした日本メディアくらいなものです。

髙山　トルコではケマル・アタテュルクが出て、イスラムから脱却し世俗化しようとし、「ヨーロッパの一員になりたい」と思ってた。

しかしケマル・アタテュルクが目指した世俗化のトルコであっても、ＥＵから見ればトルコから向こうがアジアに見える。おまけにイスラムだし、それでトルコを除け者にしてきた。

イスラム系のトルコがなぜ欧州キリスト教国家でつくるＮＡＴＯに入っているかというと、第二次大戦のあと、ソ連が自分たちの海と思っている黒海から地中海に出るときに通るボスポラス海峡とダーダネルス海峡をよこせとトルコに迫った。自力でソ連と戦えないトルコは西側陣営に泣きついた。NATO側もソ連を封ずるためにも喜んでNATO加盟を認めた。こうなるとソ連も迂闊をやればNATOと戦うことになるから手も出せなくなった。つまりあのときは宗教も何もかも脇に置いてトルコを入れた。西側にすればひたすら打算の結果だったわけだ。

トルコはそれを機に今度はEUに入れてくれと言い出した。しかし、欧州諸国にはイスラムアレルギーがあって抵抗が大きかった。言を左右にして、お願いするトゥルグト・オザルなどに冷たく当たった。で、エルドアンはじゃあいいよ、オスマン帝国復活だとなったように思える。でもEUもぐじゃぐじゃになって、ご都合主義でイスラム系で正体不明のアルバニアまで入れるなんて言い出している。こうなるとホントにわからなくなってくる。

■「オスマン帝国」への回帰が悲願

飯山　今のトルコはまた帝国主義国家になっています。

髙山　オスマン帝国への回帰は本気みたいだ。イスラムを抱き込んで世俗化をやめた。

飯山　イスラム教徒が多数派を占める国の場合には、政府が主導して脱宗教化、世俗化を進めても、それを完遂するのは極めて困難です。トルコの場合にも結局、世俗化したのは上澄みのごく一部、限られたエリート層だけでした。一般庶民の多くはやはり、根っからのイスラム教徒なのです。

エルドアンが脱世俗化、イスラム化の道を選んだ背景には、このような現実があったわけです。

エルドアンの「我々はイスラム教徒なのだからイスラム的価値観でやるべき」という方針が、庶民にはウケた。しかもエルドアンが権力を握った20年前から、トルコは概ね順調な経済成長を続けてきた。イスラム化と好調な経済、このふたつがエルドアンの長期政権を支えてきた要因です。

ただトルコはここ数年、経済不振が深刻です。通貨リラの対ドルでの下落が続き、国内ではインフレが加速。2022年の夏から秋にかけては、いわゆる3大格付機関がトルコのソブリン債の格付けを引き下げました。S&Pグローバル・レーティングは9月、トルコ債をB+からBに引き下げましたが、これはすでに「ジャンク級」だったものがさらにその「ジャンク度」を増したという意味です。

エルドアン政権は国内の経済不振から目を逸らすかのように、新オスマン主義という理念を掲げ、対外的拡張政策に打って出た。しかしあまりにもそれが過度であったため、近隣の中東諸国に嫌われ、「周囲に味方ナシ」と言われるほど完全に孤立してしまいました。ここへきてようやくトルコは、近隣諸国との関係改善に向けた努力を始めつつあります。

高山　トルコで勉強して大学を出て日本などに来ているエリートの連中はけっこう開放的だった。「またトルコがイスラムに戻るのはゴメンだ」と言っている。

飯山　そういう人たちはギュレン派であるケースがよくあります。ギュレン派というのは、フェトフッラー・ギュレンというイスラム教指導者を支持する人たちのことです。ギュレン派は一種のイスラム新興宗教のようなものですが、教育活動を重視してきたので、高いレベルの教育を受けたトルコ人エリートの中にはギュレン派の人が多くいました。

高山　ギュレンはトルコから逃げた。

飯山　ギュレンは一応、病気治療を名目で渡米したのですが、実質的には亡命です。エルドアン政権はギュレン派を危険な反動分子とみなし始め、2016年にクーデター未遂が起こると、これを主導したのはギュレン派だと断定しました。

高山　2016年7月15日のトルコ軍の一部がクーデターを試みた。トルコ最大の都市イスタンブールや首都アンカラの主要道路、橋、国営テレビ局などを一時的に占拠して、治安部隊と銃撃戦となり、市民を含む260人以上の犠牲者が出た。しかし翌16日にクーデター側は鎮圧され、このクーデター未遂に関連したとされる将校3000人余りも捕まった。

飯山　この直後から、エルドアン政権はギュレン派狩りに着手しました。これまでにギュレン派との関係を疑われて捜査対象となった人は62万人以上、30万人以上が拘束され、9万6000人が投獄されています。ギュレン派と関係していたという理由で解雇された公務員も13万人以上、軍人も3万人近くが職を解かれています。ギュレン派はテロ組織であり、それとわずかでも関係している人間はすべてテロリストだとみなされるのです。

髙山　特に政治家や知識人階級がやられてしまった。

飯山　今まではトルコの上澄みの知的エリートに占めていたギュレン派の割合は非常に高かったのです。医師、研究者、学校の教師、弁護士、技術者に加え、軍人の中にもギュレン派が非常に多く、そういう人たちもテロリストにされて捕まってしまいました。コロナ下では医師や看護師の不足が大きな社会問題となりましたが、背景にはギュレン派狩りで医師や看護師が職を追われたという事情もありました。

ギュレン派狩りはクーデター未遂から6年以上が経過した今もなお続いており、これがトルコの地盤沈下の一要因にもなっています。

髙山　クーデター未遂の後に粛清が起こった。日本にいて商社などで働いているトルコ人たちも、親父がトルコで捕まったとか、みんな真っ青な顔をしていた。国にも帰れなくなった。そういうトルコ人たちが世界中にいた。

飯山　トルコという国の恐ろしさは、日本ではほとんど知られていません。国際ＮＧＯフリーダムハウスは、レンディション（政府や情報機関が対象国を説得し、正当な手続きを経ずに、あるいはわずかに合法性を装って特定個人を引き渡すよう説得すること）による「強制連行」が世界で最も多いのがトルコだと報告しています。トルコ政府は反体制的な自国民を、国境を越えて標的にし、脅迫や身柄引き渡し請求や、ときには暗殺によって反対意見を封じ込めようとしているのです。日本でもそれが行われている可能性がある。日本にもギュレン派の運営するインターナショナル・スクールがあったり、ギュレン派のトルコ人が居住していたりします。

髙山　イランとトルコについて付け加えると、20世紀にペルシャ人は民族衣装もさっさと脱いでしまって洋服に簡単に着替えました。トルコでもケマル・アタテュルクが出て、「もう民族衣装はやめてしまえ」と号令して洋服に着替えさせた。

大帝国だったペルシャもトルコもやはりその資質がある。つまり、自分の国の誇りある国というのはそうやって自分たちで前に進めた。

アジアで民族衣装から洋服にさっさと着替えたのは日本人だけです。日本も明治維新が始まったら、別に誰が言うわけでもなく、ちょんまげをやめて、着物も下駄もやめてしまって、何の抵抗なしに近代化を受け入れた。もともと髷などは面倒くさくてしょうがなかった。たとえば女性は一度丸髷に結い上げて鬢《びん》付け油で固めるともう1、2週間は洗髪もしない。だからシラミがわく。痒いからシラミがよく取れる柘植《つげ》の櫛《くし》がはやった。あれはシラミの卵まで漉《す》き取るというので評判だった。そういう不自由があったから、文明開化だというのでみんな自発的に不便を捨てていった。だから日本人は洋服に着替えるのに何の抵抗もなかった。そこがイスラムなど宗教と密着していた国々と大きな違いと言えるかもしれない。

■タリバンの恐怖

飯山　アフガニスタンも混乱しています。タリバンは1996年から2001年まで1度アフガニスタンを支配しました。米国主導の有志連合軍によりタリバン政権は崩壊しましたが、その後勢力を回復させ、2021年8月15日に首都カブールを再度制圧しました。

それ以来、日本のメディアは奇妙にタリバン寄りな報道を続けてきました。たとえばＮＨＫはタリバンによるアフガニスタン制圧から1年後の２０２２年8月、「タリバンってそもそも何？　専門家に聞く」という解説を公開しました。ここで「専門家」の東京外語大学の講師、登利谷正人氏がタリバンをどう解説しているかというと、こんなことを言っている。

「タリバンはもともとは学生の集団です。アフガニスタン内戦で治安が悪化し、略奪や女性への暴行が横行する中、秩序を回復し、安心して暮らせる社会をつくる目的で結成されました。だから人々から支持されたのです。アルカイダと手を組んだのも、元はと言えば国際的孤立が原因です」。タリバンというのは世直しを目指す素晴らしい組織で、過激化したのは国際社会のせいだと言うわけです。

ではタリバンがアフガニスタンを制圧して1年が経過した今、アフガニスタンの人々は安心して暮らせているのかというとまったく違う。タリバンは誰にも報復しないと約束したのに、旧政権関係者や軍人を片っ端から捕まえて殺している。女性からはありとあらゆる自由を奪い、家に閉じ込め、外出時には頭のてっぺんから爪先まで布で覆い隠せと命令した。今、アフガニスタンの女の子たちは中学、高校に通うことも禁じられています。女だからという理由で教育が禁じられている国というのは、世界でもアフガニスタンだけです。ＮＨＫというのは一方ではジェンダー平等や女性の権利を声高に叫びつつ、女性を差別し抑圧するタリバンについて好意的な「専門家」を連れてきて、あたかもタリバンが「いい人たち」であるかのように印象操作している。極めて醜悪なダブルスタンダードです。

高山　現役記者だったころアフガンに取材に行きました。タリバンが生まれた町として有名なカンダハル州のスピンボルダックにも行きました。あの辺は、７メートルくらいの土塀で囲んだ屋敷が街道沿いにあって、中から異様な悪臭がしていた。アヘンを酢酸かなんかで煮てヘロインをつくっている。ヘロインをつくるときにはものすごい悪臭がするからどぶの臭いがする臭い上海とか魚の臭いが充満するマルセイユなどにヘロイン精製場がつくられる。

　ただアフガンは全土が無法地帯だからどこでもつくっている。そういう建物に悪い男たちが女の子３人を拉致して連れ込んだ。それをタリバンの若者たちが救い出し、悪い男たちを懲らしめた。それがタリバンの誕生場面で、私がスピンボルダックに行ったのは、その事件の２～３年前でした。タリバンがそんないい奴なら、テロで人を襲うこともないはずなのに現実はまったく違った。タリバンは行き過ぎたイスラム教条主義者というふうに見える。

飯山　もともとタリバンの発祥にはパキスタンが深く関わっています。ソ連がアフガンに侵攻したとき、アフガンの若者たちがパキスタンへと逃げてきました。彼らがタリバンのルーツです。パキスタンはタリバン発祥時から、タリバンが下野した２００１年以降もタリバンを支援し続けてきました。

タリバンにはパキスタンの子飼いの武装組織という側面があります。

髙山　そのときの取材旅行ではパキスタン東北部のペシャワールも訪ねた。ペシャワールはアフガンでゲリラ闘争をやっている各派が冬場に避寒地として骨休めにやってくる場所といわれていた。各派はペシャワールの街中のあちこちに自分たちの陣地をつくって暗黙裡に休戦状態にあった。

ペシャワールではハザラ派のトップのドクター・サディクと知り合った。彼のところに3日ほど滞在して、一緒にブズカシーという子羊の死体を奪い合う騎馬戦を見に行ったこともあった。ドクター・サディクに「なぜ、ゲリラ各派がペシャワールに集まるのか」と聞いたら、「休養が第一で、もうひとつはここにはダッラーという武器製造村があるから、武器を調達するのだ」といっていた。ペシャワールからちょっと行ったら、ハイバル峠を抜けてすぐアフガンのジャラランバードに行ける。

飯山　冬の間は休戦期ですからね。タリバンがカブールを制圧したのも夏でした。

第2章

中東から見た新冷戦

近代化とイスラム化の相克

■世俗主義者の功績

高山　「アラブの春」について話しましょうか。

飯山　２０１０年末から中東・北アフリカ諸国で発生した反政府デモにより、それぞれの国の長期独裁政権が崩壊したプロセスが、「いわゆるアラブの春」です。なぜ私が「いわゆるアラブの春」と呼ぶかと言うと、アラブ人の大半はこの呼称を嫌悪しているからです。「アラブの春」というのは中東の民主化運動だと日本の外務省も説明していますが、そのように美化できる現象ではありませんでした。チュニジアでは24年間続いたベン・アリ政権が、エジプトでは30年間続いたムバラク政権が、リビアでは43年間続いたカダフィ政権が崩壊したものの、10年以上経った今、「民主化した」と呼べるような状況とは程遠いのが現実です。欧米は、彼らは独裁者だった、その「アラブの春」という民衆革命で独裁者を打倒したのだと喝采を送りましたが、その「独裁者」が排除されると、中東はそれまでなかったような大混乱に陥りました。世俗的な

「独裁者」だったからこそ保てた安定、というものもあったのです。

高山　世俗主義者の先駆けの１人がイラクの独裁者だったサダム・フセインじゃないですか。まるで極悪非道の悪い指導者のように言われるけれど、彼は英国に取られていた石油利権を取り戻し、いち早く脱イスラムを宣言しました。イスラムでは女はチャドルをかぶせて家の中に閉じ込めさせますが、サダムは彼女たちに家を出るように、チャドルを脱ぐように促して積極的に教育を授けました。それでユネスコから表彰もされている。

彼自身もイスラムの戒律に背を向けてポルトガルワインを飲み、豚のスペアリブは大好物でした。

なかなかの男で、私もその男気に感じるところがあって、新潮社から出している「変見自在」シリーズの最初の本のタイトルは『サダム・フセインは偉かった』だった（笑）。

私がテヘランにいた当時はイラン・イラク戦争中でイラク情報によると男たちはみんな兵隊に行って、残された奥さんたちが街の店頭に出て商売を頑張っていたと言います。シリアもそうだったけれど当時のイラクとシリアの街の雰囲気は西側の自由陣営とよく似ていた。

しかしイランでは空気がびっくりするくらい違う。宗教支配がきつかった。イラン当局の規制は私生活にも入り込んで、わが産経新聞テヘラン支局も警官に踏み込まれたこともあった。

飯山　フセイン政権は2003年のイラク戦争で崩壊しました。その後、イラクの混乱は20年が経った今も続いています。「いわゆるアラブの春」が起こった国でも、シリアやイエメン、リビアは内戦になった。チュニジアやエジプトなど、内戦を免れた国ではイスラム政権が誕生しました。私は当時、エジプトに住んでいたのですが、最も自由を謳歌《おうか》していたのは、ムバラク政権のときには投獄されていたようなイスラム過激派でした。

髙山　脱イスラムという意味では「アラブの春」のずっと前から、イランの国王パーレビやイラクのサダム・フセインは世俗化を成し遂げようとしていました。

パーレビはイランが産油国として十分潤っていても、工業化して石油だけに頼らない国にしようと努力した。しかし、その前にパーレビ皇帝が中東産油国を仕切って石油の値段を自分たちで決めた。それが米国とか石油メジャーに嫌われた。パーレビ追放は実はそういう欧米の意図が背景にあって、ホメイニ師もそれで浮上してきた。このイスラム原理主義者はパリに追放されていたけれど、その間、彼の説教をＢＢＣの短波放送が夜ごと生中継してイランに伝えていた。その結果が皇帝の追放とホメイニ師の凱旋《がいせん》、そしてイスラム革命に突っ走っていった。革命成立で笑っていたのはホメイニ師ら坊主たちに加えてパーレビを黙らせた石油メジャー。泣いているのは13世紀も昔のムハンマドの時代に引き戻されたイランの民でしょう。

パーレビとサダム・フセインに起きたのと同じことが時を超えてチュニジアで起きた。チュニジアのベン・アリは確かに長期政権だけどその統治はまともだった。イスラム国家なのに酒の持ち込みはＯＫだし、むしろ脱イスラムが目につく。ところがある日、そのベン・アリを倒す大群衆デモが起きる。その昔、イランのモサデクを倒したデモと似ている。あれは米国の仕掛けと言われるけれど、それでベン・アリが追放され、さらにあちこちで脱イスラムを掲げる指導者が次々倒されていった。

飯山　「アラブの春」という名称は、それが素晴らしいものである、という価値観に裏打ちされています。この名称を積極的に広めたのが「アルジャジーラ」というカタールの放送局です。カタールは、エジプトで生まれエジプトで非合法化された「ムスリム同胞団」という世界一巨大なイスラム組織を擁護してきました。ムバラク政権崩壊後、エジプトではムスリム同胞団が復権し、２０１３年には晴れてムスリム同胞団が政権をとった。同胞団を支援してきたカタールにとっては、まさに「わが世の春」が来たと言うにふさわしい状況だったのです。

日本では中東の「専門家」や朝日、毎日、NHKといった「リベラル」なメディアが「アラブの春」をこぞって絶賛しました。中東研究者には左翼が多い。彼らは夢にまで見た「民衆革命」が現実に起きた！ と、「アラブの春」に自らの理想を投影したのです。だから、それが実際には「イスラム独裁」という、かたちを変えた独裁の始まりだという本質には、まったく気づかなかったのです。実に愚かです。

■「アラブの春」の正体

髙山 実際に「アラブの春」を裏でけしかけたのが米国でしょう。「アラブの春」は、欧米が中東の自立を目指す開明の指導者を排除するために仕組まれたように思える。

飯山 少なくともオバマ政権には、「民主化勢力を支援する」という建前がありました。

髙山 チュニジアが「アラブの春」の火付け役になったのは、女性警官が屋台の許可権のない男を殴打した事件が発端とされている。だいたい女が警官になるとか、女が男を殴るとかはイスラム世界では絶対にありえない。それだけでチュニジアがいかにまともな国だったかがわかるけれど、そんな事件が政権を倒す騒ぎに拡大された。その拡大に大きな役割を果たしたのがグーグルだった。そしてその導入をベン・アリに迫ったのがオバマ政権で国務長官だったコンドリーサ・ライスだった。

飯山　ライスはチュニジアの社会をオープンにしようとしたのでしょう。

髙山　そう。しかし、男が女警官に殴られて自殺してしまったという非イスラム的な事件がなぜ民衆の怒りに結び付いたのか。それはSNSを使って政治的な吹き込みが行われたからではなかったか。それでベン・アリ政権はたった1カ月で倒れた。SNSがまさに国家を倒す凶器となってしまったわけです。

飯山　「アラブの春」はそこからエジプトに広がり、リビアにも飛び火する。ここのカダフィは西側には悪評しかないけれどサダム・フセインを超えるくらいの立派な指導者だった。最期はNATOまで加わって潰してしまった。

髙山　NATOは直ちにリビアを空爆しました。

飯山　カダフィが潰される隠れた原因のひとつにドルやポンドに依存しない独自のアフリカ通貨基金をつくろうとした。それが欧米の逆鱗《げきりん》に触れた。

髙山　そうかもしれません。カダフィ統治時代のリビアには憲法がなく、カダフィ自身が憲法のような存在でした。

飯山　カダフィは「狂犬」とも言われましたね（笑）。

髙山　間違いなく完全な独裁者ではあったのですが、カダフィ時代のリビア人の中には、リビアを「いい国」だと自慢する人が多かった。政治的な自由はなくても、石油収入で潤っており、所得税がなかったり、医療費がタダだったり、ある意味「高福祉」な国だという側面があったのです。

高山　サダム・フセインが始めたイラン・イラク戦争も、イラクがイランからフーゼスタン州を取り返そうとするアラブ人のペルシャ人に対する戦いだった。

クウェートも正確に言うと、王国を装ってはいても本体は「英国クウェート石油会社」。英国石油会社がアラブ国家を装うのは問題があるから、そのへんを通りかかったラクダに乗った連中に「お前を王様にしてやろう」と言ってクウェートを建国させた。石油収入の何割かを彼らにやって残りは英国が処理してきた。

サダム・フセインがアラブ人のものはアラブ人のものだ、「英国人は出ていけ」とクウェートに進攻したのが湾岸戦争だった。

「アラブの春」が起こって倒された独裁者たちは、イスラムから脱却して近代化を図ろうとした指導者ばかり。実際、脱イスラムにより発展開化した国々が多かった。一方、欧米にはそういう指導者を排除しないと中東の石油が思いどおりに自分のモノにできないと感じていた。

欧米にとってアラブ諸国は石油を出すためだけにある地域にすぎない。その石油利権にくちばしを突っ込んでくるよりはイスラムの軛《くびき》に繋がれ、治安が乱れ混沌《こんとん》としていたほうがはるかにいいと考えた。

アラブ諸国に自立的なリーダーが出現すると、石油資源を欧米の好きにさせないためにアラブ諸国で連合しようとして、またＯＡＰＥＣ（アラブ石油輸出機構）のようなことを始めるかもしれない。それは欧米にとっては迷惑以外の何ものでもない。欧米は、アラブ諸国にそういう英君が出てくるのを嫌ってきた。これが「アラブの春」の正体じゃないか。

私は「アラブの春」はまったくのペテンだと理解しています。

飯山　「アラブの春」が実際にはアラブに春をもたらさなかったことは、誰の目にも明らかです。

民衆を苦しめる「イスラム化」の悲劇

飯山　「アラブの春」の時期、私はエジプトに住んでいました。ムバラク政権が崩壊した後、政権を取ったのがムスリム同胞団というイスラム組織です。イスラム組織というとニュートラルなイメージかもしれませんが、同胞団は元祖イスラム過激派組織です。なぜ同胞団が政権を取れたかというと、彼らには組織力があった。というか、彼ら以外に動員力のある組織がエジプトに存在しなかったからです。「アラブの春」の担い手だったことになっているいわゆる「若者たち」が政治勢力として結束できない中、同胞団が「民主的選挙」で権力を握った。私はその取材もしましたが、「民主的選挙」とは言っても、民主主義や選挙の意味もわからない人に食料品をプレゼントし、バスに乗せて投票所に連れて行き、同胞団に投票させる、という「活動」を全国的に展開していました。案の定、同胞団が政権を握ると、「同胞団独裁」が始まった。経済は低迷し、電気はつかなくなり、ガソリンも買えなくなった。イスラム過激派が台頭し、少数派のコプト教徒（キリスト教徒の一派）への襲撃が激増し、治安が悪化した。一般のエジプト国民にとっては、いいことがひとつもないばかりか、生活はさらに困窮した。後悔したエジプト国民が何をしたかというと、もう一度「革命」を起こしたのです。自分たちで選んだムスリム同胞団出身のモルシ大統領を、自分たちの手で引き摺り下ろしました。これは明らかに「民衆革命」でしたが、モルシに最後に引導を渡したのがエジプトの国軍だったため、当時のオバマ政権はこれを「軍事クーデター」と非難しました。日本の中東研究者やメディアも同様で、今のシシ政権をクーデター政権呼ばわりし、批判し続けています。

高山　独裁政権を倒したのに民主主義にはならなかった。

飯山　エジプトでは２０１１年と２０１３年に政変があり、両方とも民衆が大統領を権力の座から引き摺り下ろしたので、エジプト国民はこれらを自分たちで成し遂げた「革命」だと誇っています。ところがオバマ政権や日本の「専門家」やメディアは、世俗派のムバラクを打倒した１回目は「アラブの春」だと絶賛し、イスラム主義者のモルシを打倒した２回目は「軍事クーデター」だと腐す。彼らは自分たちの都合に合わせて現実を評価しているので、そこには客観性も、また現地のエジプト国民の視点も欠如しているのです。現実はこうです。エジプトは「アラブの春」によりイスラム化した。国民はそれを望まなかったので再度「革命」が起こった。オバマ政権が期待したような「民主化」という要素は、そこにはなかったのです。

高山　チュニジアも同じでしょう。

飯山　「アラブの春」を「中東の民主化」と言って持ち上げてきた人々が、その唯一の成功例として頼ってきたのがチュニジアです。しかしチュニジアでもイスラム政権は頓《とん》挫《ざ》し、国民投票によりカイス・サイードという世俗主義の大統領に大きな権力を与える憲法改正が決まりました。エジプトもチュニジアも、独裁から「アラブの春」と混乱期を経て、再び独裁の道を歩み始めているのです。

高山　イスラム独裁にならないための憲法改正ですか。

飯山 そういった側面もあります。そもそもオバマ政権に代表されるような「リベラル」が理想とする民主主義は、中東諸国には馴染まないのです。イスラム教徒にとっては神の権威こそが絶対で、民主主義というのもあくまで神の認めた範囲以内のものでなければならないと彼らは信じている。「アラブの春」というのは、欧米的な民主主義は絶対善、独裁は絶対悪だという価値観を中東に押し付けるとどうなるかという壮大な「実験」だったとも言えます。そしてそれは失敗に終わった。

高山 一方、「アラブの春」が起こらなかった国もあった。

飯山 「アラブの春」が起こらなかったサウジ、UAE、バーレーンといった国もみんな独裁政権です。

とはいえ独裁にもいろいろあります。

高山 欧米が長期独裁政権で容認したのはユーゴスラビアの赤いチトー政権だけで「独裁」と非難されることもなかった。一方、スペインの保守派のフランコは即座に独裁政権にされた。つまはじきにされ、戦後は独裁を理由に国連からも追放されている。

飯山 今、サウジやUAEなどの湾岸アラブ諸国が目指しているのは政治的な自由は制限するけれど、経済的な自由は担保し、社会的にもある程度の自由を認める体制です。

シンガポール式の独裁に近いかもしれません。ポイントはイスラム教の位置付けです。湾岸諸国の独裁者たちは敬虔なイスラム教徒ですが、政治にイスラム教を持ち込むことを忌避している。自国がイランや、同胞団統治時代のエジプトのようになることを理解しているからです。だから彼らはイスラム過激派と戦っています。

■厳格なイスラム路線から転換したサウジアラビア

飯山　エジプトやイラク、シリア、リビアといったアラブ諸国の多くは独立後、近代化政策を推進しました。

一方、サウジやUAEといった専制君主制をとる湾岸アラブ諸国が近代化に舵を切ったのは、ここ5、6年のことです。

髙山　近代化はしたい。だが、民主主義は避けたい、と。いずれにせよ、近代化したいなら、やはり世俗主義を取り入れないと難しい。

飯山　サウジというのは部族社会です。今の王室であるサウド家というのも数ある部族のひとつで、サウド家が他の部族をとりまとめるというのがサウジという国の基本形です。

サウジが厳格なイスラム国家化した背景には、主にふたつの要因があります。ひとつは1979年のイラン・イスラム革命です。イランはイスラム教シーア派の法学者がシーア派の法で国を統治するシーア派国家であるだけでなく、「革命の輸出」によりこのシーア派体制を地域に拡張すると宣言した。メッカとメディナというイスラム教のふたつの聖地を擁するサウジは、スンナ派の盟主として、その影響を排除する必要性に駆られたというわけです。

ふたつ目は外交的な要因です。サウジは人口の少ない国で、イランをはじめとする地域の脅威に対して潜在的な脆弱性《ぜいじやく》を抱えている。サウジはこれをカバーするために米国から最新鋭の戦闘機やミサイルを大量に購入し、時期によっては米軍の駐留も認めています。米国からの軍事支援なしには自国の安全保障を維持できないのがサウジの実情です。本来イスラム教の教義によると、サウジの存在するアラビア半島には「異教徒」の立ち入りを認めてはいけないことになっている。サウジの親米路線や米軍駐留許可は、この原則に抵触しているという側面があるわけです。サウジが国内に厳格なイスラム教のルールを強いてきたのは、この外交路線とのバランスをとる意味もありました。

髙山　キッシンジャーとの交渉で、サウジの石油の決済通貨を米ドルにする代わりに、安全保障を米国に委ねた代償ですね。ドルの基軸通貨の地位を石油が支えている。

飯山　サウジは世界最大の産油国であり、日本も原油輸入の約37％をサウジに頼っています。

産油国によって結成されているＯＰＥＣプラスの実質的なリーダー格もサウジです。ＯＰＥＣプラスは協調して原油生産量を決めている。サウジにとって原油は、外交上の大きな武器でもあります。

髙山　イスラム化のままで石油を武器にするというのならイランと変わらない。

飯山　ところがサウジは、イランと同じ路線をとると自滅するということにいち早く気づき、路線変更しました。世界は脱石油だのカーボンニュートラルだのと言い始めた。石油に依存したままではわが国は滅びる。国家の、そして王室の存続のためには、脱石油と近代化が必須だと主張し、改革に着手したのが、今のサルマン国王の息子であるムハンマド皇太子です。

彼は「サウジはこれからは穏健なイスラムでやっていく」と宣言し、イスラム教的規制を一定範囲内で緩め、自由化を促進した。代表的なのが女性解放政策です。全身を黒い布で覆い隠す必要はないと宣言し、これまで禁じていた自動車の運転を認め、男性親族の付き添いなしに遠出することも認め、社会進出を促した。女性の社会進出は国家としてプラスに評価される。これが海外からの投資を促すことにもなるわけです。サウジは海外企業の誘致や、海外からの観光客の呼び込みにも熱心です。

高山　2019年末に国有石油会社サウジアラムコの上場が話題になりました。

飯山　娯楽も解禁されました。サウジにはこれまで、何ひとつ楽しいものがなかった。だからサウジ人は、外国に行って息抜きをし、そこに大金を落としてきたわけです。ムハンマド皇太子はサウジ人がサウジにカネを落とし、さらに外国人がサウジにカネを落としにくる仕組みをつくろうとしています。まずはこれまで長年禁じられてきた映画の上映が認められました。海外の著名アーティストを招いてコンサートを開いたり、ファッションショーを開催したりもしています。ゲーム産業を興そうともしていて、2030年までには「究極の世界的ハブ」になると宣言し、世界のゲーム会社に多額の投資を始めています。

高山　民主主義を目指さないという点では、「アラブの春」の前のチュジニアやエジプトと同じということになる。

飯山　サウジやUAEの近代化は、君主制という体制維持のためでもあります。民主化を進めることは、この主旨に反するのです。

腹黒い世界の勢力図

■大帝国復活を夢見る指導者たち

高山　国際政治で各国がさまざまな駆け引きをやるのはそれぞれの国がそれぞれに歴史的な背景があるからだ。たとえばイランは最終的にはかつてのペルシャ王国を再建しようと考えている。イランもかつてはササン朝（２２６年～６５１年）、アケメネス朝（紀元前５５０年～紀元前３３０年）などあの辺一帯を仕切る大帝国を築いていた。

それをバカにしていたアラブ人に倒された。民族意識も団結も知らなかった部族社会がイスラム教によって一致団結して強力な組織に成り上がっていたことに気づかなかった。結果、さしものペルシャ帝国も一敗地にまみれた。

ただペルシャ人のすごいところはそうやって覇権を奪われながらも、アラブ人がつくるイスラム王朝に仕え、その実務能力を発揮して王朝の首相や行政のトップをこなして民族解体や滅亡を防ぎ、いつの日にか、中東の支配権を取り戻す機会を窺ってきた。

アラブ人は目前の利にさとい狡さはあっても実務はまったくダメ。そこへいくと世界的な帝国をつくってきたペルシャ人は違う。イブン・シーナみたいな学者が出たのも決して偶然じゃあない。それはアジアをあちこち取材して歩いて彼らがただものでない証拠をいくつも見ました。

ところがホメイニ師とその部下の坊主たちは本来のペルシャ人による帝国再建ではなく、アラブ人が信ずるイスラムに乗っかってイスラムによって中東を束ね、中東の覇者になろうとしている。イスラムとは一線を画するペルシャ人にとってそんな手段は姑息にしか見えない。イスラムとは肌が合わないとペルシャ市民は思っている。

この夏から始まったイスラム宗教政権に対する市民デモはホメイニ師が君臨してから過去40年の歴史の中でも最大級の反抗でしょう。宗教の狂信性に頼る政権なんていうのは時代錯誤も甚だしい。早くまともになってほしい。中東もそれで安定してくる。

飯山さんが言われるようにトルコも偉大な国だったオスマン帝国への回帰を目指しているようですね。トルコには偉大な歴史がつい昨日まであったからなおさらだ。

ロシアは突然、ウクライナに軍事侵攻を始めました。それも「偉大なるルースキー・ミール（ロシア語を話しキリスト教ロシア正教会を信仰する人々が居住する地域を独自の文明圏とみなすロシアの世界観）の再建」だとプーチンは言っている。

ルースキー、つまりスラブ民族というと、ユーゴスラビア人も南のスラブ人ということになる。ポーランド以下、東欧もほとんどがスラブ人です。かつてのワルシャワ条約機構（ワルシャワ条約に基づきソ連を盟主とした東欧諸国の軍事同盟）もだいたいスラブ人国家で構成されていました。

根っこを辿るとみんなその辺に帰着してしまう。民族と宗教というのは変わらずくっついて歩いている。けれども、日本の新聞は世界の事情を伝えるときにこの宗教と民族を故意に外してきた。だから世界で起きている事象が何も見えてこない。

飯山　ロシアのプーチン大統領はピョートル大帝を引き合いに出し、ロシアが本来持っているはずの領土を取り戻すのだと主張しています。彼にとってウクライナは、その一環です。ロシアの本来の領土とやらがどの範囲を指すのかは判然としませんが、たとえばアレクサンドル・ドゥーギンというロシアの思想家は、アイルランドのダブリンからウラジオストクまでが「ユーラシア帝国」なのだと述べています。彼の思想の中でロシアは、この「ユーラシア帝国」の中心と位置付けられます。

■「奴隷国家」ロシアの三つの屈辱

髙山　ロシアはスラブ民族で、スラブという名前を語源にスレイブ（奴隷）という言葉ができた。要するに、スラブ民族は奴隷だった。そこにアイルランドが入っているとはびっくりだけど、ロシア人やウクライナ人がルガ川あたりで狩られて奴隷に売り飛ばされたようにアイルランド人も英国人に狩られて奴隷に売られていた過去がある。その意味でもスラブと同じ奴隷民族、奴隷国家だったんだ。

飯山　奴隷国家ですか。

髙山　だからスラブ民族はどうしてもそういう歴史にとらわれ、鬱屈する。おまけに悲劇はキエフ王国などをつくってキリスト教国家として再スタートしたとたんに今度はモンゴルに蹂躙《じゅうりん》されてしまった。「タタールの軛」と言われています。

征服というのは、たとえばスペイン人がアメリカ大陸で行ったように、金銀財宝を略奪し、インディオの男を殺し、女は犯すのが形。結果ラテンアメリカは白人混血のメスティーソ（白人とラテンアメリカの先住民の混血である人々）の国々になった。

しかしロシアはモンゴルが来て、逆に犯された。筑波大学の古田博司教授にいわせれば「みんなレーニン顔になった」。ロシアは犯された民族で、かわいそうにユーラシアのメスティーソみたいな言われ方だ。おまけにロシアは奴隷民族出身でかつ犯された民族だからもっと屈折する。

ウクライナ戦争で、ロシア軍の戦車隊はベラルーシとウクライナの間の沼沢地帯を通ってウクライナへと侵攻した。冬2月を選んだのはその沼沢地帯が凍結している時期だから。

その昔、モンゴル軍もウクライナまでは来たけれど沼沢地は凍っていなかった。モンゴル騎馬兵団は結局ベラルーシには行けなかった。つまりベラルーシはモンゴル人の凌辱から救われた。それで、ベラルーシの人たちは「純血のロシア人の血を守れた」ことに感謝し、犯されなかったロシア人の地を意味する白いロシア（ベラルーシ）を国名にした。

そんな悲しくも恥ずかしい歴史を持つロシアはドイツのお妃エカテリーナ2世を迎え、誇りあるロシアを再建していった。

19世紀には英国との間でいわゆるグレートゲームを展開し帝国主義植民地戦争にも加わった。アフガンを窺い、極東にも出て満洲から朝鮮まで手に入れようとして日本とぶつかった。そして日露戦争になった。白人大国のつもりだったが、結果は非白人国家で非キリスト教徒国の日本に負けてしまった。白人の恥さらしという三つ目の屈辱を重ねた。

■ソ連の栄光が忘れられないプーチン

飯山　ソ連時代はどうですか。

髙山　レーニンが出て帝政ロシアは消滅し、代わってマルクス主義を掲げる社会主義国家ソ連が誕生した。それから間もなく世界は大恐慌を機に不景気のどん底に落ちていったけれど、ソ連だけは表向き何の経済失速もなく順調に発展しているように見えた。

スターリンが実はウクライナの民を犠牲にして経済の帳尻を合わせるペテンを仕組んだ。数百万のウクライナ人が餓死した「ホロドモール」のことです。そのペテンにまともな学者、知識人がころり騙された。

結果、ソ連ことロシアは生まれて初めて世界的な大国に成り上がった。尊敬も集め、少なくとも東西両陣営の一方の旗頭になった。しかし所詮はペテンで築いた砂上の楼閣で現実にはそんな実力はなかった。ソ連は最初から破綻含みで豊かだったことは一度もないし、ましてノブレスオブリージュ（身分の高い者はそれに応じて果たさねばならぬ社会的責任と義務があるという、欧米社会の基本的な道徳観）も持ち合わせなかった。

私も冷戦時代のソ連を旅したことがあります。当時のソ連は非常に貧しかった。レニングラードに行ったとき彼らの目をごまかして外泊した。翌日はインツーリストらに烈火のように怒られてすぐにも刑務所にぶち込まれそうだったけれど、こちらが連行された先はベリョースカ、ドルショップだった。

ここにロシア人は入れない。でも彼らがほしいオーディオ機器や西側のベストセラー本から衣料品まで商品が山とあった。あれを買えこれを買えと彼らに言われるままに買い物をしたらそれでこちらの罪が許された。

まあ恐喝ともいえるけれどどなんとなし、素朴なロシア人の本音に触れたようでロシアを知るいい勉強になった。ソ連はそれくらい貧しい国だった。

結局、世界を２分した大国のソ連は70年ほどで潰れました。とはいえ、その東西冷戦の時代は、ロシアがそれまで味わったことのなかった栄光の時代であったことも間違いない。

飯山　ロシア人はヒトラーを倒したという強い誇りも持っていますね。

髙山　しかし本当は、倒す前にヒトラーと手を結んでいた。

飯山　ロシアではそれはなかったことにされ、ロシア人は世界の巨悪ヒトラーを倒した英雄だということになっています。ロシアがウクライナのことをネオナチ呼ばわりしている背景には、この「誇り」がある。

髙山 とにかくソ連時代は栄光に包まれていました。つまり、奴隷民族だった国が生まれて初めて世界のトップとは言わないまでも上に立ったわけです。ロシアにとってありえない現象だった。

それを懐かしんでいるのがプーチンにほかならない。ゴルバチョフが死んだときには、プーチンは棺のそばに立っていましたが、その目は冷たかった。ゴルバチョフが栄光のソ連を分解してしまったとプーチンは思っていたのでしょう。

ソ連の70年は実に短かった。それでもペテンの帝国としては長すぎた。世界がもっと早くマルクス主義の嘘に気づけばもう少しましな世の中になったでしょうに。

日本憎しが中露の共通項

飯山 中国も19世紀から20世紀にかけて、イギリスやフランス、日本などに屈辱的な目にあわされてきたという意味で「百年国恥」という言葉を盛んに使っています。中国とロシアは、「日本にひどいめにあった」という話を持ち出せば、対日で意気投合できます。

髙山 実はその中国も奴隷民族出身という意味でロシアと共通していますね。

もともと漢民族は万里の長城の内側のいわゆる中原《ちゅうげん》の地の民だった。ただ、そこに彼らの国はなかった。そこにあった国は北狄《ほくてき》が築いた殷《いん》であり、西戎《せいじゅう》の周であり、東夷《とうい》の秦《しん》だった。要するに漢民族は外からやってきた異民族に支配され、その奴隷として歴史を生きてきた。

漢民族が初めて国をつくったのが漢で、うれしくて「漢」民族と名乗った。しかし漢がまともな政治もできずに滅んだ後に中原を支配したのは再び外来民族の鮮卑《せんぴ》の隋《ずい》、唐、そしてモンゴルの元《げん》、そして満洲民族の清《しん》だった。中国４０００年の歴史という。でもそのうち漢と明《みん》を除く8割方は異民族支配下の奴隷だった。それじゃああまりに惨めだし、国の肇めが北狄の殷では格好も悪い。それで架空の漢民族の「夏《か》」王朝が殷の前にあったという。それなら「夏民族」と名乗ればよかったのに。

ロシア人はボルガにいたときに狩られて中東や欧州に連れていかれたが、漢民族は自分の生地に居ながら奴隷にされた。漢民族はロシア人が感じる以上に奴隷としての屈辱感を味わっている。彼らの不幸は奴隷だったゆえにノブレスオブリージュも寛容も慈悲も知らない。何より政治をした経験がないから、漢や明など漢民族の治世はこれ以上ないほど過酷だった。だから明が倒れ、満洲民族が北京に入城すると民は拍手と歓呼で迎えたといいます。

同じく今の中国共産党も漢民族だから統治の仕方を知らない。だから建国してすぐに「大躍進政策」をやって5000万人以上の国民が死に、次に「文化大革命」をやってまた2000万人を殺している。

今や中国は牢獄みたいな国になってしまった。それはやはり漢民族が国をつくってはいけないことの証左であり、その民族性を彼らに噛んで含めて教えてやらないと悲劇はずっと続く。もっとも周りから言って聞くような政権じゃない。中国の民は心の中でどこでもいいから早く次の異民族が北京に入城してくれないかと心待ちしているはずです。

ところで習近平はそういうダメな漢民族の民族性を承知している。そこで編み出したのが「偉大なる中華民族の復興」です。

これは殷の前の夏王朝をでっちあげたのと同じくらい悪質な歴史の嘘と言える。中華民族というラーメン屋みたいな民族は存在しない。なんでこんな架空の民族を創り出したのかというと、中国4000年の歴史はさまざまな異民族が入れ替わってやってきては豊かな文化を産み落としていった。その背景には中原という豊穣の地と繁殖力豊かな漢民族という奴隷労力があった。それで殷は青銅器文化を生み、周は鉄器文化を生んだ。隋の煬帝《ようだい》は奴隷の民を使って黄河と揚子江を運河で結んだ。

それを踏まえて奴隷の末裔の習近平は「中華民族」を編み出し、そこにすべての異民族も包含した。つまり中華民族には青銅器文明を残した殷も鉄器文化を生んだ周も大運河をつくった隋も唐もユーラシア大陸を制覇して東西貿易の礎をつくったモンゴルの偉業も入っていて、そのリーダーが漢民族だと言っている。

その意味で習近平の嘘はプーチンの「偉大なるソ連」よりスケールはでかい。でも所詮は嘘だからソ連と同様にごく近い将来、同じように破綻していくはずです。中国とロシアは出自も同じなら誇大妄想的な思い込みまで似ている。似た者同士だからときに寄り添い、ときに憎み合う。ただ中露がただひとつ思いを重ねるのが「日本が憎い。日本をやっつけろ」ですね。

■独裁よりも問題な「帝国主義」

飯山　私は国際情勢を考える際に、ある国を主に民主主義国家なのか独裁国家なのかという基準で評価するのは妥当性に欠けると思っています。また世界を民主主義vs.独裁主義という対立構図で捉える有効性にも限界があると考えます。

民主主義の有無はもちろん重要です。しかしそれと同時に重要なのは、その国がどのような外交政策をとっているかという実態です。

この点から見ると、世界の国は今ある国境線を維持すべきだと信じ、それに立脚した外交政策をとっている国と、国境線を拡張すべきだと信じ、そのために行動している国があります。いわば前者は現状維持派、後者は帝国主義派です。

よく国際秩序といいますが、これは具体的には今ある国境線を守り、国際法を守ることで維持される。これらを破り、拡張政策をとる国は、たとえ民主主義国家であろうと危険な国だと認識されるべきです。

中東を見てみると、たとえばサウジやUAEの実態は専制君主制で独裁ですが、両国はともに拡張主義を否定しています。サウジが「アラビア半島のすべてがサウジであるべきだ」と主張して、バーレーンやカタールに軍事侵攻するなどという事態は発生していないのです。一方、トルコは民主主義国家です。今は大統領に権力が集中していますが、それでも大統領は選挙を経て選ばれている。しかしトルコの外交政策は明確に拡張主義です。隣国のシリアやイラクに軍事侵攻し、領土を占領している。トルコは1974年以来、北キプロスも占領し続けています。

高山　民主主義vs.独裁主義というは単純すぎるし、これは米国が世界に押し付けた図式にすぎません。

飯山　民主主義の国ならば何をやってもいいというわけではありませんし、独裁主義の国ならば何もしなくてもダメだ、というのは極論です。

また一方に欧米型のリベラル民主主義国家があり、その対極に北朝鮮型の独裁国家をおくならば、多くの国がそのどちらも嫌だと思っているのが世界の現実です。

多くの国にとって最大の関心事は、自由民主主義か独裁かの二択ではなく、自国の利益を最大化することです。だからロシアがウクライナに軍事侵攻した際も、多くの国はロシアへの経済制裁に参加しなかった。

その一例がサウジです。サウジとロシアは共に世界最大級の産油国です。日量１０００万バレル近くの原油を生産できるのはサウジとロシアを除いては米国しかありません。このサウジとロシアが中心となって２０１６年に発足させたのがＯＰＥＣプラスです。ＯＰＥＣプラスはＯＰＥＣ（石油輸出国機構）とロシアなど非加盟産油国で構成されている枠組みで、加盟諸国が協調して生産量を調整してきました。原油価格を安定させ、産油国の収益を安定的に確保するためです。ロシアのウクライナ侵攻後、米バイデン大統領はサウジを訪問し原油増産を要請しましたが、ＯＰＥＣプラスは減産を発表しました。サウジは安全保障を米国に依存しつつ、原油生産の面ではロシアと協調する道を選択したわけです。

髙山　国同士で利害が一致するときに手を握らないほうがおかしい。友情などではなく、国益で動いているのが国際社会の常識でしょう。
世界の国々は身勝手に動いている。自分たちの歴史観や宗教観があり、さらに民族感情というのも強いから、各国ともそれらを別に抑制しないで外にぶつけてやっています。

飯山　米国は世界一の軍事大国です。正規兵の数は中国より少ないものの、軍事予算は中国の4倍近くある。米国の影響力は明らかに、この圧倒的軍事力に裏打ちされているのが現実です。
２００２年に当時の米国大統領だったブッシュ氏が、イラン、イラク、北朝鮮の３カ国を「悪の枢軸」と呼びました。これら諸国が連携し、自由民主主義陣営を脅かしているという認識です。
それから20年を経て、米国では「新しい悪の枢軸」として中国、ロシア、イラン、北朝鮮を名指しで批判する政治家や研究者が出始めています。

髙山　新しい悪の枢軸も反民主主義にして反米ということになりますね。悪の枢軸に対しては、地政学的にも、日本のほうが危機的です。

飯山　残念なことに、新・悪の枢軸４カ国のうち中国、ロシア、北朝鮮は日本の隣国です。こんな状況に置かれているのはＧ７の中で日本だけです。またイランは隣国でこそないものの、日本のエネルギー政策上の生命線を握っているという点において、その脅威は看過できません。というのも日本が輸入している石油の８割は、イランが面するホルムズ海峡を通過してきます。イランがここを封鎖すれば、たちまち日本は危機に陥る。封鎖しないまでも、ホルムズ海峡が有事となれば原油価格はたちまち高騰します。イランは過去に日本のタンカーを攻撃したこともある。たとえば日本のタンカーを時々攻撃するだけでも、日本人の生活、日本の産業に甚大な影響を与えるのには十分でしょう。

新・悪の枢軸との戦い、新冷戦の最前線に否応なく立たされているのが日本だという認識が必要です。

■米中対立で線引きできない「冷戦」

飯山　自由民主主義陣営と対峙している新・悪の枢軸諸国も、イデオロギー的にはまったく一枚岩ではありません。それぞれがそれぞれの思惑、目的を持っており、それらは相矛盾しています。共通するのは反米、反自由主義という点くらいなものです。

中国、ロシア、イラン、北朝鮮が連携して米国を倒したとしましょう。ではその先に何があるかというと、今度はそれら諸国が覇権をめぐって争うことになる。平和で安定した世界など、妄想することすら不可能です。

たとえばトルコのエルドアンが「クリミア半島は国際法的にはウクライナのものだから返したほうがいい」と言うのは、クリミア半島はトルコのものだと思っているからです。ロシアに取られるよりはウクライナのものにしておいたほうが、後々、トルコが取りやすいから、そう言っているにすぎない。それを知らないで、「さすがエルドアン」と書く日本の新聞は愚かです。

髙山　もともとクリミア半島はオスマン帝国の領土ですね。それをエカテリーナ2世のときに取られ、以後、オスマン帝国は英仏などと組んでロシアと何度も戦って何度も負けました。そのロシアをアジアの東の国がやっつけてくれた。「ロシアが負けた。ワー、よかった」という思いがある。それがトルコにある種の尊敬の念と親近感をもたらしたのでしょう。前にあの国をイラン国境からイスタンブールまで縦断する旅をしましたが、日本人というとクルドの人もトルコの人もほんとに破顔一笑、親切にしてくれた。エルトゥールル号もありますが、やはり日露戦争で見せた日本の強さがそうした行為の原点にあると思います。

飯山　先進諸国が権威主義国家に圧力をかける手段のひとつとして経済制裁がありますが、その効果が以前ほどはかばかしくないという現実もあります。ロシアはウクライナ侵攻後、世界で最も制裁されている国になりましたが、同じく多くの制裁を課されているイランやシリアなどと協力して別の経済圏を構築しようとしています。制裁されている国同士で経済を回せるようになれば、制裁されても何の痛手もなくなる。これら諸国は産油国であるのも特徴です。

髙山　石油は通貨に近いから売り先はいくらでもある。制裁されている国との取引は、ドルではなく、金塊や食糧とかエネルギーとかと交換できます。

飯山　ロシアにとって最も痛手だったのは、国際銀行間通信協会（ＳＷＩＦＴ＝スイフト）から排除されたことです。国家間の高額決済はスイフトを介して行うのが今の標準なので、スイフトから排除されると国際貿易が実質的に不可能になります。ロシアや中国はスイフトに代わる決済システムをつくろうともしています。

しかし少なくとも今のところは、ドル決済の優位性にはとうてい及びません。ロシアや中国、イランといった反米権威主義国家から見ると、ドルというのは米国の覇権の象徴です。ドルが基軸通貨である現状をどうしても変えたいので、権威主義国家同士での取引ではドル決済を排除し、ルーブルや人民元で決済しようとしています。

しかし問題は、それぞれの権威主義国家の信頼性が低いことです。実はお互いに信頼していない、だから本心ではドルで取引したい。

ドル中心の世界システムへの対抗軸としては、ブラジル、ロシア、インド、中国、南アフリカで構成する新興5カ国「ＢＲＩＣＳ」という枠組みがあります。今このＢＲＩＣＳが、中東や南米、東南アジアなどの国に参加を呼びかけており、イランはすでに加盟申請しています。中国やロシアはＢＲＩＣＳを拡大することで、米国の覇権と対峙したい思惑がある。

新興国の多くを取り込むことができれば、その目論見の成功に近づきます。制裁を受けている権威主義国家の多くは資源国だというのも、彼らの強みです。

制裁を受けている国々は日本人が思っているほど孤立しているわけでも、脆弱でもありません。彼らは彼らで、自立したブロック経済を形成しようとしています。もちろん今の世界はグローバル化していますから、繋がりを完全に断つことはできませんが、それでも私たちが思っているほど、自由民主主義陣営の優位は揺らぎないものではない、ということです。

髙山　皮肉なことに、欧米が制裁することによってドル離れを促すことにもなっているわけだ。やはり一筋縄ではいかない。

飯山　世界情勢を考えるうえでは、ひとつの国を単独で考察するのではなく、他国とどのような繋がりを持っているのかを勘案すると、理解が進みます。

中東の次の火種はどこだ

髙山　イデオロギーで分ければ、ウイグルを弾圧している中国と中東諸国は対立してしかるべきなのにそうはならない。むしろ協調するような場面もある。結局、利害関係を優先にしている。

飯山　中東諸国の場合、人権弾圧をする中国側につくのか、人権を擁護する米国側につくのか、といった二択で悩むことはまずありません。人権、民主主義、大事ですねと言いつつ、中国との経済関係を強化する。そもそも中東諸国のほとんどはイスラム国家ですから、本音を言えば価値観的には中国側でも米国側でもないのです。彼らが外交上最も重視しているのは、価値観ではなく、自国の利益を最大化することです。

ただ、サウジやＵＡＥ、エジプトのように、安全保障面では米国に依存しながら、中国やロシアとの連携を強化するという路線が長続きするかは不明です。今後、米国がその矛盾を許さないと宣言する可能性もあります。

髙山　今後、中東の火種が爆発するとしたらどこだろう？

飯山　中東は今も各地で戦争が続いています。あまりにも戦争が常態化しているので、国際社会の関心が薄れているだけです。そして中東で戦争がやまない最大の理由が、イランの拡張政策、いわゆる「革命の輸出」です。20世紀の中東戦争の時代のようなイスラエルvs.アラブ諸国、という対立構図では、今の中東を理解することはできません。

髙山　日本もしたたかに立ち回らなければなりませんが、実際どうすればいいのか、次に議論しましょう。

第3章

「日本の役割」という幻想からの脱却

中東は「親日国」ばかりは嘘

■日本を小バカにしているイラン

髙山　飯山さんは著作の中で、イランやトルコを「親日国」として扱うことの弊害に警鐘を鳴らしてたので、そこから話を始めましょう。

私が1985年に産経新聞の特派員としてイランに赴任したときには、日本のテレビドラマの「おしん」がまだイランで放送される前でした。テヘランのバザールに行くと、のっけに「シネ？　コリエ？」と聞かれた。支那人か朝鮮人かという意味です。で、「ナー、ジャポネ」いや日本人だというと「お前、日本人か」と周りに人だかりができるくらいだった。日本人はまだ珍しい存在だったうえに日本という国には特別の関心を惹いたように見えた。

イラン人は日本に対して、日露戦争でロシアをやっつけたアジアの国というイメージのほかにすごい国というインパクトもあったようだった。手近なイラン人に聞くとパーレビ皇帝の皇太子時代、その結婚式のときに日本が自国製の旅客機で飛んできた。結婚を祝う分列飛行にもレザー皇帝の頼みで参加したという話を聞きました。先の大戦では日本は並みいる白人国家を相手に戦争もやった。

一方のイランは抵抗もできないままソ連と英国に占領された時代で、「武人（アシュカリ）の国ペルシャ人として日本人は立派だと思う」と話していました。それとパーレビは占領されていた時期、米国を訪ねた帰りにパンアメリカン航空のチャイナクリッパーに乗っていてあの真珠湾攻撃にぶつかっている。パンナム機はハワイ島ヒロに逃げましたが、その印象も強烈に持っていたと言われる。間違いなく親日的な時代でしたが、その皇帝を追放したイスラム聖職者政権が親日であったことはまったくなかった。テヘラン暮らしの間はむしろ政権に嫌われていた感じだったね。

飯山　イランの一般国民は親日的な感情を持っているかもしれませんが、そのことと、イランが国家として親日的な振る舞いをするかどうかとはまったく別問題であるはずです。

ところが日本では、やたらに「イランは親日」という言説が横行し、多くの日本人が「イランは親日のいい国だ」という印象を持っています。「イランは親日」言説流布を積極的にやっているのは誰かというと、メディアと外交官と「専門家」です。2022年5月にはイラン大使の相川一俊氏が日経新聞に「親日家のイラン人」という寄稿をしている。そこで「日本のバブル経済を、汗を流して支えたのがイラン人だ」とか、在日経験のあるイラン人を集めてパーティーをやって「津軽海峡・冬景色」を流したらイラン人は涙ぐんでいたんだとか書いている。

ほかにも、在イラン日本国大使館に勤務している角潤一という外交官はウェブ雑誌などにさかんに寄稿し、イラン人がいかに親日で素晴らしい人々か、イランという国がいかに素晴らしい国かを強調してきました。彼のツイッターのアカウントは「@iranjinjun」です。日本人外交官なのに「イラン人」を名乗っているわけで、かなり異様です。

髙山 だけど、実際には外交特権に守られている日本の大使でも平気で逮捕した。私がイランにいたときも、公用車に乗っていたシリア大使が暴漢に襲われた事件があった。そんな事件が平気で起こる。イラン当局は防ごうともしない。「嘘だろう」と思いながら、その事件を記事にしたものです。

飯山 イランには表現の自由も報道の自由もありません。イランの体制にとって都合の悪い発言をする外国人は、外交官であろうとジャーナリストであろうと研究者であろうと拘束されます。

だからイランに駐在する外交官やメディアの記者、イランを時々訪問するような日本人イラン研究者はイランの体制に不都合なことは決して言わない。それどころか、異様なまでにイランを褒めちぎり、親日だと讃え、イランの体制を擁護するような言説を繰り返す。日本にイランの実態が伝わらないのは、イランの実態を伝えるべき人たちが、偏向したイラン擁護論しか述べないからです。

高山　今のイランイスラム政権は実際には日本をバカにしています。そこには自分たちがアーリアンだという人種偏見もかなり強い。

２０１９年６月に安倍晋三首相がイランを訪問したときも失礼な態度だった。この訪問は１９７８年の福田赳夫首相以来、日本の首相として41年ぶりのイラン訪問でもあったのに。安倍首相がイランの最高指導者ハメネイ師と会談したその日に、日本企業のタンカーがホルムズ海峡でイランの攻撃を受ける事件が発生した。

飯山　その事件について米国のポンペオ国務長官は、「イランが日本のタンカーを攻撃し、船員の命を脅かすことで日本を侮辱した」と強く非難しました。

前述したようにイランにとって米国は大悪魔。日本はその大悪魔の子分です。イランは米国を倒したいのですが、米国を直接攻撃すると報復攻撃で体制自体が潰されかねないということはわかっている。だからその代わりに、米国の最弱同盟国である日本を攻撃するのです。しかも表面的にはイランがやったとはわからないような、巧妙

です。実に卑怯《ひきょう》な国なやり口で、非難されても「うちは関係ありません」とシラを切る。

2021年7月にもオマーン沖で日本企業所有のタンカーがイラン製の自爆ドローンで攻撃され、英国人とルーマニア人の船員2人の命が犠牲になっています。この自爆ドローンは、2022年8月からイランがロシアに供与し、ロシアがウクライナ国民や民間のインフラを攻撃するのに用いているものと同種です。日本は実はウクライナより以前に、イランの自爆ドローンの被害を受けているのです。

「イランは親日」言説は、日本人の目からこうしたイランの現状を隠蔽《いんぺい》する役割を果たしています。

髙山　日本人はイランの現状について非常に疎い。

飯山　日本は目下、イランから1バレルも石油を買っていません。しかもイランは、日本の首相のイラン訪問中に日本のタンカーを攻撃して穴をあけた。

それなのに日本政府は、そんな事実はまるでなかったかのように、イランにすり寄り媚びへつらう外交をしています。2022年9月には岸田首相がイランのライシ大統領と会談し、「伝統的友好関係の一層の強化」を約束、西村康稔経済産業相はイラン石油相に「日本として特に石油・天然ガス分野での対イラン協力を再開できるよう希望する」と述べたと報じられています。イランのチャーバハール港整備に日本政府がカネを出すとも発表しています。これはＯＤＡの一環です。

日本政府の中では、近い将来、イランから再び石油を買うというのが既定路線になっているようです。しかし日本がイランから石油を買えば、そのカネはイランの体制を潤わせる。イランの体制はそのカネを使って自国民を弾圧し、中東の武装テロ組織を強化し、革命の輸出の名の下にテロを輸出することになる。この被害を受ける国の筆頭に、日本にとって原油輸入先の1位、2位を占めるサウジとＵＡＥがいることを、忘れてはなりません。

■「腹黒い」と本当のことを言ってなぜ悪い

髙山　日本人はトルコについても親日の国家と思っている。

飯山　必ず引き合いに出されるのが、エルトゥールル号の話です。

１８９０年9月16日夜にオスマン帝国の軍艦エルトゥールル号が現在の和歌山県の沖合で遭難し、海軍少将以下５８７人が亡くなり、生存者はわずか69人という海難事故が起きました。このとき地元の日本人が生存者の救助・介護、遺体の捜索・引き上げに尽力し、日本全国からも多くの支援金や物資が寄せられました。

このお返しにトルコはイラン・イラク戦争のとき、イランに航空機を出して日本人を救ってくれた、というのが日本側の美談です。

だから日本人は「トルコは親日のいい国」「恩義を忘れない義理堅い国」だと思っている。しかしいずれもずっと昔の話です。美談は美談でいいのですが、それはノスタルジーにすぎません。ノスタルジーで世界情勢を理解できるわけがない。

ところが日本では、トルコを含め、中東に関する情報が圧倒的に少ない。だから、日本でトルコの話が何か出てくると、いつもエルトゥールル号と邦人救出の美談に帰着してしまう。

トルコの現状を客観的に伝えるべきメディアや研究者や外交官などがこのノスタルジーを持ち出したなら、それは何か都合の悪い現実から人々の目を逸らすためである可能性がある。親日だと言われると日本人は悪い気はしないわけです。それを彼らは巧妙に利用している。

高山 トルコに親日国というラベルを貼ったところで何の意味もない。ただトルコにとっては、親日国だと思ってくれている日本はそれなりに利用価値があるだけでしょう。

私が、産経新聞で書いたコラムをまとめて本にしたときのタイトルは「世界は腹黒い」でした。日本人に世界の現実を伝えたかったからだけどあれから20年以上経っているのに、「世界は腹黒い」というコラムは全然古くなっていません。むしろ今の世界は当時よりも腹黒い。

飯山 日本社会では、他国の問題を指摘する人は悪い奴だとレッテルを貼られる傾向があります。どの国についても、素晴らしい国だ、親日だと言わなければ、自分のほうが糾弾される。私はこれは、一種の偽善だと思っています。こんなものを前提にしていたら、国際情勢を客観的に説明することはできません。

髙山 以下は廣瀬彦太元海軍大佐が第二次世界大戦中に訳本の中で書いた一節です。「日本は過去1度もよその国の悪口は言ったことがない。一方、よその国は好き放題に日本について悪口と嘘ばかり吐いている。日本はもっとよその国がどんな性情なのか、どんなにひどい国かを知るべきだ」

まったくそのとおりです。米国のクリントン政権の国務長官だったオルブライトが北朝鮮のことを「ならず者国家」と言った。それまで北朝鮮を「朝鮮民主主義人民共和国」と表記していた朝日新聞などはとうとう彼女の言葉の「ならず者国家」を書かずに逃げた。ならず者国家以外の何ものでもないのに。

日本人は外国の悪口を言い慣れていない。

飯山 批判と悪口を混同しているところもあります。

髙山　それはホントだけどその国の性悪ぶりを知らせる必要はある。たとえばロシア人や中国人が決してソフィスティケイトされていない、平気で嘘をつく国民性だということはメディアが伝えねばならない事実です。

■本当は危険なバングラデシュ

髙山　バングラデシュやアフガンについても親日だと見なすのは日本人の大変な誤解です。

バングラデシュでは2016年7月に、首都ダッカにあるレストランがイスラムの武装集団に襲われ、このテロで日本人7人を含む22人が殺害された。「私は日本人だ。撃たないでくれ」と懇願した日本人男性がいたと伝えられています。しかしこのとき最初に殺されたのが日本人でした。

飯山　イスラム教の教義では、多神教徒は「殺すべき敵」だと規定されています。このテロを起こしたのは「イスラム国」というイスラム過激派テロ組織ですが、イスラム過激派テロ組織の第一の特徴はこの教義を忠実に実践する点です。だから多神教徒である日本人がこの場で「私は日本人だ」と言ったのは、「私を殺してくれ」と宣言したのに等しい。

しかもこのテロを実行した「イスラム国」バングラデシュ支部の支部長は、モハメド・サイフラ・オザキという名前の「日本人」だったと報じられています。オザキはもともとヒンドゥー教徒でしたが、来日し、立命館アジア太平洋大学に留学中にイスラム教に改宗した。そして日本人女性と結婚し、日本国籍を取得、企業で働いたり、大学で教えたりしながら、一方ではイスラム過激派の思想に傾倒し、２０１５年には妻子とともにシリアに渡って「イスラム国」入りしました。このとき彼は、立命館大学の准教授でした。彼はその「能力」を買われてバングラデシュ支部の支部長に抜擢《ばってき》され、リモートで戦闘員を勧誘したりテロの指示をしたりしていたとされます。

彼は２０１９年にイラクで拘束され、投獄されましたが、その後の消息は明らかになっていません。

彼の子供のうち生存していた３人については、日本に引き取られたと報じられています。

髙山　日本人がダッカの街を歩いていると、いきなりバングラデシュ人から話しかけられることがあります。話しかけられた日本人はバングラデシュを親日だと思うでしょう。

しかしラシュディの『悪魔の詩』を日本語に翻訳した筑波大学の五十嵐一助教授を殺害したのはバングラデシュから来た短期留学生にほぼ間違いない。実際、バングラはムガール帝国時代にきた知事がシーア派系のペルシャ人で、あそこだけ飛び地のように異端のシーア派が根を張っている。ホメイニ師のラシュディ死刑命令が生きている地域だ。しかし日本政府はそれを知りながら友好第一、バングラは親日国の印象を崩さないようにあの国の危なさを知らせなかった。日本人の安全のためにも「バングラデシュは危ないテロ国家」と言うべきだった。

■タリバンに殺された日本人たち

髙山　日本人はアフガンまで親日だと思っている人が多い。それには中村哲医師の影響が大きい。だからあのタリバンでさえも親日だと思い込んでいる人がいる。しかし中村医師を殺害したのは間違いなくパシュトゥーンのタリバンだった。中村医師は2019年12月にアフガンのナンガルハル州のパシュトゥーン人の街ジャララバードで襲撃されている。

医師だった中村医師は1980年代からパキスタンやアフガンでの医療支援に携わってきた。旱魃《かんばつ》による食料不足に苦しむアフガン人たちを目の当たりにして、独学で土木技術を学んで2003年からアフガンで用水路の整備にも取り組んだ。
しかしアフガンに貢献したにもかかわらず、中村医師はタリバンに殺されてしまった。以前には、ジャラララバードの中村医師のところに来たボランティアも殺されている。

飯山 タリバンが2001年にバーミヤンの磨崖仏《まがいぶつ》を破壊した際、中村医師は「今世界中で仏跡破壊の議論が盛んであるが、我々は非難の合唱に加わらない」とタリバン批判を退け、「アフガニスタンの国情を尊重する」とタリバンの立場に寄り添いました。その後も、タリバンの大半の人は穏やかな常識人だとか、クリーンな人たちだと言ってさかんに擁護してきた。しかしタリバンはその中村医師の恩に仇で報いたわけです。

髙山 私は1991年にクエッタからピシン峠へと抜けてアフガンを取材に行った。国境の街スピンボルダックに寄った。その2、3年後にこの街で、タリバンが結成されますが、我々は産経新聞のマークの入った四輪駆動車2台で入りました。
街の広場には親ソ派のカブール政権軍から鹵獲《ろかく》した装甲車が置かれていた。その写真を撮ったりしていると、しだいに周りにパシュトゥーン人が集まってきた。すると同行していた元アフガンゲリラのガイドでパシュトゥーン語が分かるアクバルが血相を変えて「連中はこっちを襲う話をしている。逃げよう」。

もう1台の仲間にもそれを伝え、さり気なく車に戻り、そのまま発進して走り出した。彼らは唖然としていたけれど、こっちはさらに奥地のカンダハル方向に走っている。そっちは今ゲリラとカブール軍が交戦中で、結局そこらの山陰に潜り込んだ。日が落ちて夕方のイスラムのお祈りが始まるまで待った。祈りが始まると闇の中をニュートラルにして音を立てずに道を下り、街の中はフルスピードで駆け抜けた。検問所も突破してパキスタン側に逃げて事なきを得た。

ところが、その後、同じコースを行ったテレビ朝日の記者が捕まった。日本人スタッフは無事だったが、ガイドは殺されかなりの身代金を取られたらしいけどその事実は発表されなかった。週刊現代がちょこっと伝えただけで、産経新聞の読者を除く日本人はその後も「アフガンは親日の友好国」のままだった。

飯山　2005年9月にも、広島県尾道市の中学校の先生2人がアフガンのカンダハル州で殺害された事件がありましたね。

髙山　そう。この先生たちも朝日新聞しか読まなかったらしい。アフガンは友好国と信じて2人の先生はパキスタンのチャマンから入国した。スピンボルダックからカンダハルを抜けバーミヤンに行ってカブール経由ジャララバードからパキスタンに戻ってくる日程だと聞いています。ところが、入口のスピンボルダックで襲われ、カネと所持品を奪われ、殺された。

飯山 尾道の先生たちは、中村先生の語るアフガン像やタリバン像を真に受けていた可能性があります。だとすればアフガンは親日国で、タリバンも話せばわかる「いい人」たちだという印象を持っていたことになる。このような誤解が命取りになることもあるのです。

髙山 2人は座らされて後頭部を撃たれていた。処刑スタイルです。

飯山 「殺すべき異教徒」とみられた可能性があります。

髙山 あの辺りはパシュトゥーン人地区でパシュトゥーン人が一番嫌いなのがモンゴル系のハザラ人。日本人はハザラ人と似ている。それも災いしたのかもしれない。

飯山 アフガンは多民族国家で過半数を占めている部族はいません。一番多いのがパシュトゥーン人で、それでも4割くらい。ハザラ人やタジク人などもいます。タリバンはパシュトゥーン人が中心になってできた武装組織なので、異民族であるハザラ人、タジク人、ウズベク人などを敵視、差別しており、これまでにも集団虐殺したり、村ごと立ち退きを強制して家屋や畑を奪うといった残虐行為を繰り返してきました。

髙山 かつて南條直子というフリーの女性ジャーナリストがいました。この人は、私がアフガンに取材に行く2年前の1988年にアフガンのムジャヒディンの取材に行っていた。

南條は、ムジャヒディンから「お前のことを動画で撮ってやる。あの丘に登れ」と言われて登った。ところが、そこは地雷原で彼女は嵌《は》められ、地雷で吹っ飛ぶところをムジャヒディンは動画に撮った。かなりの高値で売れたといい、それで日本人の戦場カメラマンが一気に増えたと言います。

だから、アフガンはどうころんでもろくなところではない。しかし中村医師がアフガンに親日的なイメージを植え付け、そのイメージを日本のメディアは何の反省もなしに増幅し続けています。

■日本人の税金がテロ資金にされていいのか

飯山　中東の「専門家」もそれを率先して行っています。テレビや新聞に出ては「イランは親日のいい国」「アフガニスタンは親日のいい国」「タリバンはいい人」と主張する。2021年にタリバンが再度アフガンの政権を奪取すると、タリバンを支援しないと中国に接近するだの、ケシ栽培と麻薬製造に走るだの、テロが増えるだのと言って脅し、今こそタリバンを支援すべきだと口を揃えて主張した。

日本政府は2021年だけでもタリバンに2億円の資金を提供すると約束しました。「専門家」の意見に耳を傾ければそれこそが「正しい」ということになりますし、日本の場合、「困っているかわいそうな国」に多額の資金援助をすると宣言することで大国アピールを続け、これこそが国益になるのだと国民を納得させてきた側面もあります。

「専門家」も日本政府も、いや、我々はタリバンを支援するわけではなく、かわいそうなアフガニスタンの人々を支援するのだと主張します。しかしアフガニスタンに支援をする際には、必ずタリバンを介在させなければならない。タリバン抜きにアフガニスタンを支援することはできないのです。するとカネにせよ物資にせよ、タリバンの手に渡る可能性は常にある。

アフガニスタンを今、統治しているのはタリバンです。ならばアフガニスタンの人々を飢えさせないのは、タリバンの責務であるはずです。ところがタリバンは、いやいや、そもそもうちの国がこんなに戦乱で疲弊したのは、全部アメリカのせいだ、国際社会のせいなんだと主張して責任を外部に押し付ける。それを真に受けて支援を続ければ、タリバンを喜ばせるだけです。

高山　パキスタンのペシャワールからアフガン方面に行くと、難民部落があります。そこはアフガンの内戦から逃げてきた難民のための施設だという話だったけれど、実際は夏場にアフガンで働いていたパシュトゥーン族が冬場にパキスタンへ戻ってきただけなのに、国連は彼らを戦禍から逃れてきた難民に指定した。UNHCR（国連難民高等弁務官事務所）など実にいい加減だった。ただパシュトゥーンたちも狡くて難民を装い、国連が用意した施設に入る。そして日本をはじめ世界各国から送られてきた支援物資をもらう。国連スタッフがいなくなるとみんな自分の家に戻り、もらった援助物資はパッケージもほどかないでそのまま売ってしまう。ペシャワールの先のランジコタールには巨大なスーパーマーケットがあってそこに並べて売られていた。そこでは地雷もマリファナも何でも売っていた。

飯山　地元の有力者や支配部族が、そこから利潤を得るシステムが構築されているのでしょう。

髙山　ちょうど私たちが行ったときはUNHCRの職員が難民部落に視察に来ることになっていた。そしたら自宅に戻っていたパシュトゥーンに集合命令が出てぞろぞろと空き家の難民部落の施設に入っていった。みんな戻ったところでUNHCRの職員が視察に訪れていた。

UNHCRの職員は視察が終わると、何がしかのお金と支援品を難民部落にいる連中に渡して去っていく。ＵＮＨＣＲの職員がいなくなると、難民部落の施設にいた連中はもらったお金と支援品を手にして自分の家に帰って行く。笑えない一幕喜劇だった。

飯山　国連職員がいるときや、外国メディアの取材が入っているときだけ、国際支援がかわいそうな民衆に行き届いているかのように装うわけですね。

タリバンも同じことをやっています。たとえば２０２１年、日本のメディアではＴＢＳがカブール陥落後のアフガンを最初に取材しました。

ＴＢＳの中東支局長である須賀川拓という記者がアフガン入りしたのですが、彼はこう伝えました。

「アフガンのＷＦＰ食糧配布現場に、タリバンの影なし。彼らは倉庫の外周を警備するのみ。タリバンは１人も、敷地には入りません。ＷＦＰと約束しているからです。支援物資は『直接』市民の手に渡っています!!　もう一度言います。支援は『直接』届いています！」

彼は自分が見たものがすべてだと勘違いしている。実際には、タリバンが支援物資をネコババし、自分の家族やタリバン支援者だけに配っているという報告が多くあるわけです。

日本のメディアが歪んだ現実を伝え、間違った印象操作をしている、ひとつの例です。

髙山　北朝鮮と同じ手口に引っかかっている。ジャーナリストなら現地に行ってしっかり取材すれば、本当のことがわからないほうがおかしい。私も現地に行ったから難民施設の現実がよくわかりました。

飯山　優れた報道で国際理解の促進に貢献したジャーナリストに贈られる「ボーン・上田記念国際記者賞」という賞があるのですが、ＴＢＳ須賀川記者はこのアフガン取材が高く評価され、これを受賞しました。

髙山　ボーン・上田賞は特派員が取る最高の賞です。アジアハイウェイの紀行記では今話したような誰も書かなかった真実を書いたけどボーン・上田賞は来なかったな（笑）。

害悪でしかない日本のメディア

■50年前の中東像で分析

飯山　１９４８年にイスラエルが建国されてから、中東では４度にわたってイスラエルとアラブ諸国が戦う中東戦争が発生しました。1973年にはアラブ産油国が原油価格を急激に値上げしたうえに、日本は「非友好国」だから原油を売らないと言ってきた。いわゆるオイルショックです。

しかし第四次中東戦争からすでに半世紀が経過しています。日本も変わり、世界も変わりました。中東も例外ではありません。ところが日本人の多くは、いまだに中東というのはイスラエルとアラブ諸国が対立している地域だと思い込んでいる。なぜなら中東の変化、現実を日本人に伝えるべきメディアや「専門家」が、歪んだ中東像を選択的に伝え続けているからです。

彼らが伝えたいのは、たとえば「かわいそうなパレスチナを蹂躙する悪のイスラエル」像です。イスラエルは中東の諸悪の根源であり、中東が混乱しているのはイスラエル、およびその親玉である米国のせいだということにしたい。だから、実際には、イスラエルはもはや中東諸国と対立しておらず、中東の諸悪の根源はイランであるにもかかわらず、その実像を伝えようとしない。左翼イデオロギーに立脚した偏向報道、偏向研究です。

髙山　日本の今の新聞報道では、相手の民族を知り、宗教を知るというようなことも欠落している。そこから直していかなければ、日本人に国際社会を理解できるはずはない。

飯山　日本のメディアはプーチンについても「柔道が好きな親日家」と報じてきました。

髙山　同様に日本のメディアは今の駐日韓国大使を知日家だと報道しています。しかし日本を知っていることと親日家とは全然違う。日本のメディアはそうした点にまったく無頓着なんだね。ロシアのフィギュアスケートのザギトワが秋田犬を好きだということだけで、メディアは親日派にしています。

飯山　日本の今の新聞報道では、相手の民族や宗教についての知見も欠落している。そこから直していかなければ、日本人は国際社会音痴になってしまいます。

髙山　それに、海外に駐在している日本の新聞記者たちもみんな、現地の政府の大本営発表とか自社の方針に依拠して書くことに慣れきっている。

飯山　そうだとすれば、海外に駐在する意味もありませんね。

髙山　駐在している新聞記者が記事を書くとき、たとえばパレスチナとイスラエルの争いではパレスチナに6〜7分の正義がある、というよう定義がある。その定義に当てはまるように原稿を書いていく。

飯山　いや、とても6〜7分ではないと思いますよ。日本の新聞は9分9厘パレスチナの肩を持っていると思います。

高山　そうかもしれない。たとえば米国の通信社のＡＰの目を通してみると、日本の新聞の報道とはまた別の見方がいろいろと出ている。ＡＰはイスラエルを攻撃するパレスチナ側の主張を伝えると同時に、イスラエル側のあくまでも自衛の反撃だという主張もちゃんと伝えている。

■朝日は中東報道も酷い

高山　「アラブの春」の報道についても日本のメディアはもうまるっきり米国報道の丸写しだった。「アラブの春」をいいことだと書く欧米メディアの報道をそのまま翻訳して掲載しているから。それもこれも中東の事情を自分なりに掘り下げる努力をしていないから欧米の報道を鵜呑みにするしかない。

飯山　現地の特派員が虚報を流すこともあります。「アラブの春」の際にエジプトにいた朝日新聞の川上泰徳という記者は、ムスリム同胞団が武装し、乱暴狼藉《ろうぜき》を働いているのを知っていながら、「ムスリム同胞団は平和的な抗議を行っている」と報じ続けました。当時エジプトに住んでいて、ムスリム同胞団の暴力を目撃した私が、朝日新聞というのはとことん嘘つきだということを心底実感したのはこのときです。

高山　彼はイラクに駐在した折、ＰＫＯで出てきていた自衛隊についてその駐屯地の見取り図まで新聞に掲載した。そしたら迫撃砲がかなり正確に撃ち込まれた。自衛隊員に死者が出るように情報をリークしていた。もっとびっくりしたのは在イラクの邦人が脱出するルートまで事細かに報じた。相手がその気になれば確実に何人かの邦人が殺されていた。このときは防衛庁も本気で怒って朝日新聞に抗議していた。川上泰徳とは記者じゃない。テロリストの手先だ。

飯山　ムスリム同胞団は鉄砲を担いで街を練り歩き、実弾を躊躇《ちゅうちょ》なく発射したので、多くの人が死にました。警察署を襲撃して署長を斬首したり、教会を襲撃してキリスト教徒を虐殺したり、そういった残虐行為を日々繰り返していた。ところが川上氏はムスリム同胞団は平和的な穏健派だと書き続けたのです。

髙山　１９７０年代半ばにクメール・ルージュがカンボジアの首都プノンペンを支配したときも、「アジア的優しさ」と朝日の和田俊記者が書いた。その翌日から１７０万人の大虐殺が始まっているのに訂正すら書かない。

飯山　クメール・ルージュを「解放軍」と呼び、彼らの「裏切り者」に対する態度は「きわめてアジア的な優しさにあふれている」ので、新生カンボジアは「明るい社会主義国」として期待できると書いた件ですね。実際には、クメール・ルージュは「裏切り者」とみなした人を片っ端から殺した。カンボジア人の４人に１人が殺されたと言わ

郵便はがき

料金受取人払郵便

牛込局承認

8133

差出有効期間
2023年8月
19日まで
切手はいりません

162-8790

東京都新宿区矢来町114番地
神楽坂高橋ビル5F

株式会社ビジネス社

愛読者係行

ご住所 〒 TEL: ( ) FAX: ( )		
フリガナ お名前	年齢	性別 男・女
ご職業	メールアドレスまたはFAX メールまたはFAXによる新刊案内をご希望の方は、ご記入下さい。	
お買い上げ日・書店名 年 月 日	市区 町村	書店

ご購読ありがとうございました。今後の出版企画の参考に
致したいと存じますので、ぜひご意見をお聞かせください。

書籍名

お買い求めの動機

1　書店で見て　2　新聞広告（紙名　　　　　　　　　　　）
3　書評・新刊紹介（掲載紙名　　　　　　　　　　　）
4　知人・同僚のすすめ　5　上司・先生のすすめ　6　その他

本書の装幀（カバー），デザインなどに関するご感想

1　洒落ていた　2　めだっていた　3　タイトルがよい
4　まあまあ　5　よくない　6　その他(　　　　　　　　　　　)

本書の定価についてご意見をお聞かせください

1　高い　2　安い　3　手ごろ　4　その他(　　　　　　　　　　　)

本書についてご意見をお聞かせください

どんな出版をご希望ですか（著者、テーマなど)

れています。

髙山　朝日新聞は極端だけれど日本の新聞が何でそんなふうに左傾するのか。彼らと一緒に取材をしてきたので、わかるところがあります。

産経新聞記者の私が特派員として送った原稿にデスクが文句をつけたら、「間違いだったらクビにすればいい。今はこっちの取材を信じろ」と通させます。しかし、よその新聞は現地の特派員が原稿を送ると、先代の特派員とかデスクとかがチェックして文句をつける。

「アラブの春」にしても、特派員が素直に「ムスリム同胞団はみんな暴徒化して内乱状態になっている」と書いた記事を送っても、先輩デスクから「米紙はそんなことを書いていない」「いうことを聞け」と半ば前例踏襲を押し付ける。朝日や毎日の特派員はそれでよけいな苦労をしていた。

海部俊樹首相がマレーシアに来たとき、マハティール首相が「日本はアジアの解放のために努力してくれました。何も悪いことをしていないのですから日本が謝罪することはありません」と言った。

多くの社の特派員はその発言をそのまま書いて本社に送ったので、すぐ遊びに行けた。しかし朝日と毎日は「マレー半島を侵略したのは日本だ」というのが前提なので、そのまま書いたら具合いが悪い。だから、マハティールの言葉を嘘にならないようにうまく消し去るよう、何度も書き直しが続いて、朝日と毎日の記者はずっと居残っていた。東京裁判史観に合わせて日本を侵略国家のままにするようなうまい嘘を書けというわけだ。

飯山 朝日の場合は、どんな記事を書くときにも「日本は悪い国だ」という結論が先立っているので、現実のほうを修正してその結論を導くことになります。私はこれを朝日「壊れた自動販売機」論と呼んでいます。要するにどんな現実も、朝日という自動販売機に入れると反日記事になって出てくるわけです。

だから記者が変わろうと、記事内容は変わらない。朝日イズムが次の記者、次の特派員に継承されていく。

髙山 そうやって前に原稿を書いたものが後釜の原稿をチェックする。結果、記事の論調が十年一日、同じになる。そういうメカニズムが朝日や毎日にはある。

これもマハティールの話だけど1992年10月に香港での「欧州・東アジア経済フォーラム」で彼は「日本なかりせば」という有名な講演をした。以下、概要は。

「もし日本なかりせば、ヨーロッパと米国が世界の工業を支配していただろう。欧米が自動車や家電とかの製品の世界基準と価格を決める。欧米だけにしかつくれない製品を買うために、世界の国はその価格を押しつけられていただろう。

多国籍企業が安い労働力を求めて南側（アジア・アフリカ）の国々に投資したのは、日本と競争せざるをえなくなったにほかならない。日本との競争がなければ、開発途上国への投資はなかった。

また、日本のサクセス・ストーリーがなければ、東アジア諸国は模範にすべきものがなかった。東アジア諸国でも立派にやっていけることを証明したのは日本である。そして他の東アジア諸国は、同じ黄色人種である日本を模範として挑戦し、自分たちも他の世界各国も驚くような成功を遂げたのだ。東アジア人は、もはや劣等感にさいなまれることはなくなった。

もし日本なかりせば、世界はまったく違う様相を呈していたであろう。富める国はますます富み、貧しい南側はますます貧しくなっていたと言っても過言ではない」

この講演を聞いて会場から欧米人参加者が椅子を蹴立てて次々出ていった。そこに朝日の記者だった船橋洋一主筆がいた。彼は最後まで残っていたけれどこのマハティールの演説は1行も書かなかった。ずっと後になって回想ふうにちょっと書いた。

朝日には日本はどうしても悪者でいてほしいという思いが社是としてある。日本を持ち上げる発言を自分が書くことにてらいを持っていたのでしょう。朝日はそういうイズムを守っているから新聞の日付が変わっても中身は変わらない。

日本は戦前の歴史に学べ

■かつて「大国」だった日本

髙山　朝日新聞は「中国が成長することを日本が望んだ」という見出しの記事を載せたことがありました。では、中国が豊かになることが日本にとっての国益なのか。

そんな主張は朝日の「中国に対して贖罪《しょくざい》意識を持て」という社の指針から生まれたものにすぎない。この指針は美土路昌一が朝日新聞社長に就いたときに打ち出された。美土路は社会部記者上がりで全日空の社長を経て、朝日の社主である村山家以外から初めて社長になった。

美土路は全日空の社長時代から日中友好の旗振り役をやっていて、中国に接近していた。新聞社の社長になって都合が悪いこともあって同郷の岡崎嘉平太に因果を含めて対中贖罪意識を振りまかせた。美土路は岡崎にこう言わせた。「ヨーロッパでナチがやった残虐行為と同じことを日本も中国やアジア諸国でやってきた。日本軍とナチは同じだ」と。

岡崎が日本と中国でそれを吹聴し、朝日新聞がそれを盛大に報じた。日中関係は友好を言う前に加害者と被害者、そして加害者の贖罪がまず最初にくるという刷り込みをやった。この朝日新聞の姿勢は次の社長の広岡知男にも引き継がれた。

飯山　朝日は、中国だけでなく、世界のすべての国に対し、日本は平身低頭しなければならない、という方針です。例外は米国とイスラエルくらいではないでしょうか。

高山　そう。日本が欧米の植民地だったアジア諸国を解放したのに、岡崎と朝日新聞に言わせれば日本はそういうアジア諸国を侵略して虐殺をほしいままにしたというふうになる。日本人にそれを信じ込ませるために広岡は本多勝一に「中国の旅」を書かせた。後に本多が「取材はしていない。中国人の言うとおりに書いた」と言ったように中身は真実の一片もない連載だった。日本軍はひたすら残忍で犯し、奪い、殺戮《さつりく》したと。

しかし本多は知らないだろうが、日本の大陸経営は実に善意に満ちていた。農林10号という、多収穫小麦を改良発明した日本人農学者稲塚権次郎をわざわざ派遣して中国の農作物のすべての改良に取り組ませた。

中国の小麦は火野葦平の「麦と兵隊」にあるように人の背より高いけれど、稲塚が改良した小麦はいわゆる矮性《わいせい》で背が低い。それで今の中国はあの大人口を支えている。

それだけじゃあない。彼ら中国人が今使っている言葉の70%以上が日本人が創った言葉、日本製漢語なんですね。

それが中国人には悔しい。あの国のファッションにチャイナドレスがある。でも正確には元は満洲服だった。その昔、満洲族が中国人というか漢民族を征服支配したとき、彼らのだらしない着物と帯の民族衣装をやめさせた。代わりに活動しやすいボタン止めの満洲服に着替えさせた。白髪三千丈というほど髪は切らずに伸ばす習俗もやめさせ、辮髪を強いた。そういう習俗は満洲ふうに改められた。清朝が倒れ、今、中共という漢民族の治世になると彼らは武力で満洲族をそっくり飲み込んで満洲の衣装も文化もすべて中国のものにした。だから満洲服をチャイナドレスと言っても何も問題もないと言い出した。

ところが、中国人が喋っている約70%は日本の言葉です。中国人が使っている技術の70%以上も日本の技術だ。最近のものでは新幹線が代表的でしょう。

飯山　日本の技術は中国に盗まれているのですね。

髙山　だからこそ満洲と同じように日本を制圧してしまえば喋っている言葉も日本語でな

く、チャイナドレスと同じように中国語と言える。新幹線技術も中国のものになり、技術を日本から盗んだとは言われなくなります。今や中国は「エベレストまで中国のものだ」と主張している。中国の拡大主義の中に日本が入っていないと思うのは幻想でしかない。

飯山　ロシアも日本を狙っています。

髙山　そうですね。プーチンは「アイヌはロシアだ」と言いました。アイヌ人は13世紀に日本に来た。大陸から追われ樺太から追われて北海道に逃げ込んだ。13世紀だから鎌倉時代です。

北海道白老郡白老町にあるウポポイ（民族共生象徴空間）では「アイヌ人が先住民だ」と言っている。でも北海道には幾多の縄文式文化の遺跡がある。日本人と同じ血を持つ縄文人がずっと住んでいてそこに縄文人より1万年も遅れて難民が来た。それがアイヌ人です。正確に言えば初代在日がアイヌ人です。住まわしてやっている日本人の恩情にも感謝しないで、我々が北海道の先住民で、今、抑圧されていると訴える。そこにプーチンが目をつけて同じロシア人であるアイヌ人が迫害されていると言い出した。

飯山　ロシアがウクライナ侵攻を行ったのと同じロジックですね。

髙山　そのとおり。プーチンは単にアイヌ人に関心があって、「アイヌはロシアから日本人より先に北海道に渡っていった」と言っているのではありません。北海道はその意味でロシア領だと言っている。地理学的にもロシアは不凍港がほしい。スターリンでさえ取れなかった不凍港をアイヌ先住民説に乗っかって取りたいというのがプーチンの意図なのです。

もう一方の中国は前述したように日本語が70％の中国語を晴れて中国語と言いたいという欲望に加え、習近平はフビライも北洋艦隊もニコライ2世もスターリンもできなかった日本弧を破る最初の偉大な中国の王になりたい。それでプーチンとともに日本を狙っている。中露が日本列島を軍艦で一緒に回ったとき、日本を占領したら中露両国の境界線をどこに引くのかというような話もしたのでしょう。

飯山　日本には、「中国が軍事作戦に出るようなことはない」とか、「ロシアには日本に侵攻するだけの軍事力はない」などと言って「有事はない」と勝手に決めつける人たちがいますが、日本人がこんな根拠のない断定をうっかり信用し、油断すれば、得をするのは中露のほうです。

安全保障の基本はあらゆる可能性に備えることであるはずで、可能性を勝手に否定するのはその対極に位置する。中露が日本に侵攻する可能性はある、ということをまずは前提にしなければならない。それを思い止まらせるためには、もし日本に侵攻したらあなたの国はなくなります、と中露に思わせる必要があります。いわゆる抑止力の強化です。そのためには防衛予算を増やす、武器を製造する、武器を配備する、集団安全保障体制を整えるといったことが必要になる。しかしそれをやろうとすると、朝日などがすぐに「戦争をするつもりか！」「憲法違反！」と批判し、「中国を刺激する」「地域の軍拡が進み不安定化する」と戦争になるかのように言って脅します。戦争を抑止するための防衛力強化だという真実は隠蔽され、なぜかそれは戦争を始めるためのものだということになって報じられるわけです。

高山　歴史学者のトインビーはかつて「日本は中国文化圏の一部だ」と言った。しかし歴史学者宮脇淳子は「中国こそ日本の文化圏に入っている」と言っています。また、南京大学の教授の王彬彬は「我々は日本人のつくった言葉を介して思索し、論議している。それを考えると鳥肌が立ってくる」と言っている。まともな民族だったら、むしろありがたいことだと感謝するところだろう。その辺に奴隷民族の性というか限界があるように思う。

中国人たちは大国のつもりでいます。けれども、日本のほうが実は壮大な国なのです。確かに戦争には負けましたが、それでもアジアから帝国主義を追い出して植民地を解放しました。また、王彬彬に言わせると、70％を超す分量の日本人がつくった言葉で中国人はモノが喋れるようになった。かつての中国人は今の言葉のわずか30％しかなかった。食う。寝る。殺すくらいの言語力だけで生きてきたのが、今はまともに憲法も持つ国となりました。その憲法も少なくとも80％近い言語は日本語です。

だから、日本が安易に米国通貨圏に入って米国のパワーにすがろうというのはまさに負け犬根性と言える。まず日本はどういう可能性を持っている国なのか、日本人はどういうことができるのかを模索しなければなりません。

戦前にはスターリング・ポンド、ドル、フラン（金）、円という確立した決済権を持つ通貨がありました。日本は円通貨圏を持つしっかりした国だったことを、今の日本人は忘れている。戦前の日本人は、日本から朝鮮にも中国にもパスポートなしで行くことができました。朝鮮や中国、台湾、南方諸島という日本文化圏もあったのです。

■大陸勢力を一国で食い止めてきた歴史

高山　日本は大陸勢力のランドパワーを歴史的に封じ込めてきた国です。最初は、2回の元寇《げんこう》、中国の元王朝のフビライの軍隊が太平洋に出るために高麗兵を中心に日本を攻めてきた。いずれも鎌倉幕府が退けました。

　次に日本に挑んできたのが西太后の清朝で、日本海軍は清朝の北洋艦隊を日本海どころか黄海から出る前に沈めてしまった。その次に朝鮮半島に進出したニコライ２世のロシアと戦った。この日露戦争では世界一と言われたロシア陸軍を破り、さらに日本に３倍する大艦隊を日本海海戦でほぼ全艦を沈めてしまった。

　ロシアからソ連に変わり、日本がポツダム宣言を飲んで日本軍が武装解除を終わった８月18日、スターリンのソ連軍は千島列島に攻め込んできました。産経新聞が出版した『スターリン秘録』や陸軍中将樋口季一郎の回想録にそのときのスターリンの思いの一端が書かれています。

　まずカムチャツカから出たソ連海軍が千島列島を制圧し、根室港をとる。一方、ウラジオストクに待機した軍勢が南樺太を取って留萌に上陸。北海道にある日本軍の19の飛行場を発信基地にして爆撃機で青森を空爆で抑え、津軽海峡を確保する。さらに、日本海を下り対馬を占領して対馬海峡を掌握するのがスターリンの思いでした。

　北海道の領有に加え、宗谷海峡、津軽海峡、対馬海峡をコントロール下に置くことで日本海をロシアの東の海とし、北海道を太平洋への不凍港にする。

飯山　スターリンのプランが実現していたら、北方領土どころではなく日本の領土はかなりの部分がソ連のものになっていたでしょう。

高山　しかし日本軍は頑張った。千島列島東端の占守島の守備隊からソ連軍の侵攻を知らされた第5方面軍の樋口季一郎は即座に反撃を命じた。わずかな守備隊は再び銃を取って圧倒的なソ連軍に抵抗し、上陸部隊を完璧に破壊し、沖の艦船については爆撃機が銃爆撃を加え、敵艦に体当たり攻撃もかけました。結果、1日の攻防でソ連軍は3000人が戦死、それに倍する負傷兵を出して、北海道への南下作戦は緒戦で大きく躓《つまず》いた。実際、ソ連軍は北海道には辿り着かず、1945年9月2日、ミズーリ号艦上での日本と連合国軍による降伏調印式の当日ですらソ連軍は歯舞色丹には着いていなかった。

樋口季一郎はこのとき、大本営を通じマニラにいた連合国軍最高司令官ダグラス・マッカーサーに「国籍不明の連合国軍の一部が不当に日本国領土への侵攻を始めた。正当防衛としての反撃を加えているが、最高司令官の責任はいかに」とその無能を指摘した。

この部分は『陸軍中将　樋口季一郎回想録』（啓文社）に詳しいですが、ソ連の横暴に困ったマッカーサーはこのソ連軍の横暴をAP通信にリークし、マニラ発としてソ連軍北海道侵攻を世界に報じた。8月22日、スターリンは留萌への侵攻を諦めたといいます。千島列島と北方四島だけを戦利品として手にするだけで引き下がりました。この占守島での攻防でソ連軍は、連合国軍のノルマンディ上陸作戦よりも損害の比率としてはひどい損傷を食らいこれで、千島列島から釧路に上陸しウラジオストクからも留萌に上陸して、両方から北海道を制圧するというソ連軍の計画が失敗に終わりました。

北海道を占領できなかったのですからスターリンもまた日本弧を破るという大陸勢力の野望は果たせなかった。

飯山　歴史的に日本は大陸からの攻勢をいずれも退けたのですね。

高山　フビライもニコライ2世も西太后もスターリンもすべて日本制圧に失敗した。こうした歴史的背景があるので「偉大なる中華民族の復興」を掲げる習近平にすれば過去にフビライもニコライ2世も西太后もスターリンもできなかったことを、彼が初めて成し遂げるという歴史的快挙にものすごく意欲をかき立てられていることは間違いない。歴史的偉業の第一段階はかつて日本の最南端の領土だった台湾の制圧です。中国にとって台湾を取るというのは日本弧を破る第一弾で、その次は日本の制圧にあることは間違いありません。

■「丸腰」を強調するバカ

飯山　私が最近気になるのは、日本政府が日本は丸腰だということをやたら強調することです。米国の核兵器を共同運用する「核シェアリング（核共有）」の案が浮上した際、中国はこれを「露骨な核拡散」だと批判しました。これに対して日本は、「日本政府は核共有を検討していないと明確に表明している」と断言しました。

堂々の「丸腰宣言」です。隣国に対し、「ウチの国はこんなに丸腰だし、これからも丸腰であり続けます」と宣言する国など、世界に例がありません。「どうぞ、お好きなときに攻め入ってください」と言っているようなものです。

国家の役割は国民と国土を守ることです。日本政府の発言は、その責任を放棄しているに等しい。

髙山　日本の新聞も政府が守る気がないのをむしろ持ち上げている。

飯山　朝日や毎日の基本姿勢は、「丸腰外交こそが正しい外交だ」というものです。

髙山　朝日新聞が「軍隊を廃止したコスタリカは立派な国だ」と何回も紙面で紹介している。愚かの極みとしか言いようがない。

コスタリカは軍隊を廃止した。今は国防は全部、米国におんぶに抱っこで、事実上、コスタリカは米国にとって沖縄みたいな存在です。

しかも軍を放棄した理由がふるっている。コスタリカでは大統領が出ては軍がクーデターを起こして新しい大統領が生まれるのを繰り返していた。しかし次に大統領となったフィゲレスはもうクーデターを起こさないよう、軍を廃止した。だからコスタリカが軍隊を廃止したのは、クーデター対策で、その代わり、治安維持を担う警察をうんと強化して軍事ヘリにロケット砲まで持たせた。有事には徴兵もできることから国際問題研究所（ＩＩＳＳ）は「準軍隊」と表現している。つまり、政変を防ぐための軍の廃止だった。

飯山　コスタリカが軍隊をなくした背景を全部無視して、朝日はとにかく軍隊を廃止したことだけをとりあげて絶賛しているわけですね。

髙山　朝日はそれを中米担当の歴代記者が、「コスタリカだって丸腰だ」と書き続ける。

飯山　日本は今、政府が丸腰宣言をし、メディアがそれを素晴らしいと称賛するという、異常状態にあります。

中東にもしこんな国があれば、イランが直ちにイスラム革命防衛隊を送り込んでくるでしょう。軍事力や国防意志のない脆弱な国、国民が分断した不安定な国は、拡張主義の帝国主義国家に簡単に呑み込まれます。

■旧統一教会問題で国防問題をスルー

髙山　安倍元首相の尽力で日本の国防の空気が変わってきた。中国の本性を見抜き、はっきり中国を仮想敵にし、彼らに備えるためにも国防に力を入れろと言った。今の防衛費はGDPの1%弱なので、それを2%にしようと、2%どころか3%にしなければ追いつかないという論議も自民党を中心に出てくるようになった。

ところが、そんなときに安倍元首相が暗殺されてしまいました。安倍元首相ははっきりと「中国は危険だ」と国際社会に訴え、事実上の中国軍事封鎖であるQUAD（日米豪印戦略対話）も生み出した。中国にすれば朝日新聞みたいなバカが日中友好を言ってくれている間は好きにできたが、そこに英邁《えいまい》な政治家が出てくると計画がみなくるってしまう。何とか処理したくなる。20年前の恨みで暗殺をやったという山上徹也の主張はいかにもおかしい。中国が絡んでいるという説は根強いですね。

安倍元首相が亡くなった後も、これからどういう格好で国防を充実させていくのかを考えなければなりません。ところが、防衛費を増やすという論議をはぐらかすために朝日は徹底して旧統一教会（世界平和統一家庭連合）を叩く記事を書くことに明け暮れている。

統一教会について言うと、韓国の宗教であり、教祖の文鮮明こそがメシアという教えです。

飯山　統一教会の文鮮明にせよ、幸福の科学の大川隆法にせよ、あれこそが救世主（メシア）なのだ、信じろと言われても、私個人としては無理です、としか言いようがない。それでも現実には何万人も信者がいるわけです。

高山　文鮮明のベースは反日です。日本は朝鮮に悪いことをした。贖罪すべきサタンだ。日本に踏み付けにされ搾取されて富も女も全部とられたとのっけから言っていた。文鮮明は反共も口にして国際勝共連合をつくりました。勝共連合は保守系のキャッチフレーズにも合っていた。当時、猫も杓子もリベラルで保守は世界のどこでも退潮傾向だったので、勝共連合には存在意味がありました。それは文鮮明のビジネスだった。しかし文鮮明は1991年に金日成《キムイルソン》と握手して反共を捨て反日だけにした。

以後、統一教会は反日だけで日本からお金を吸い上げ、それを北朝鮮に渡していました。不思議なことに文鮮明と金日成が握手して間もなく、朝日新聞は突如として「ソウルで慰安婦強制連行　金学順が重い口を開く」と日本軍の慰安婦強制連行の蒸し返しを始めた。追いかけるように中大の吉見義明教授の「慰安婦は軍が関与」と騒がせて、文鮮明の「日本は悪いことをした。贖罪しろ」に合わせた報道を始めた。朝日新聞は文鮮明と実にうまく平仄《ひょうそく》を合わせていた。

しかも植村隆が書いたソウルの慰安婦、金学順の話はまったくの嘘。吉見義明の軍関与説も吉見が日本語の読み方を知らなかっただけのお粗末な嘘だったことがばれるが、朝日新聞の中江利忠社長は一切の抗弁をせず、日本贖罪論をやらせ続け、文鮮明は儲け続けた。信者にした日本人女は日本軍の犯した罪の償いとして貧しい韓国の男の妻になっていった。その数は6000人にも及ぶ。現代の性奴隷ですよ。

植村隆の記事は櫻井よしこさんらとの法廷闘争で嘘と認定されたけれど、朝日新聞は反省もしない。その後も10年間以上、慰安婦の嘘を垂れ流して、安倍さんに指摘されてやっと記事取り消しと木村伊量社長のクビを差し出したが、あんな新聞は廃刊にすべきだった。

朝日新聞の罪は深い。慰安婦報道を流し続けることで日本人の贖罪意識を煽り続け、結果的に文鮮明の霊感の壺売りつけや合同結婚を、サポートし続けた。そして今はその統一教会を使って日本人の目を国家の安全保障からそらさせている。朝日新聞ほど徹底した反日、嫌日新聞は他にありません。

飯山　日本の与党に入っている公明党の支持母体も宗教団体ではないですか。

髙山　日本のメディアは創価学会については一切ふれません。やり方としては創価学会もひどい。信者に壺は売らない代わりに池田大作の本はどんどん買わせ統一教会以上の寄付も取っている。

なお、統一教会は選挙運動で日本の政治家との関わりが深くなっています。そもそも日本の公職選挙法では戸別訪問も許されていません。法律で選挙運動をがんじがらめにしているので人件費ばかりがかさむ。一方、人件費にも規制があって運動員に人件費をはずむこともできない。だから、ウグイス嬢に１万円の日給を出してはいけないのです。今どきの日給はそこらの牛丼屋だって１万円ですよ。

２０１９年の参議院選挙をめぐる事件で逮捕された広島の河井克行衆議院議員と妻の河井安里参議院議員も、選挙運動に日給１万円以下では優秀なウグイス嬢が来ないので１万円以上を出していました。それが選挙違反に問われた。

選挙の候補者としては、運動員に高い人件費を払いたくても払えないところに、旧統一教会の信者が「ボランティアで選挙運動をやります」と言って来れば、受け入れないほうがおかしい。立憲民主党でも十数人の国会議員が旧統一協会の信者を選挙運動に使ってきた。比率で見ればどっこいどっこいでしょう。

飯山　同じことをやっても自民党は許せない、でも立憲民主党は問題ないというのがメディアや野党のスタンスです。しかも彼らは喫緊の課題である国防ではなく、旧統一教会問題に多くの紙面を割き、時間を使う。

高山　現実には、中国とロシアの海空軍が合同で日本の周りをぐるぐると回る軍事演習をやっています。ところが、それが日本の新聞の1面トップに来ない。中露の艦船のほうがは旧統一協会よりもはるかに危ない。

飯山　日本政府は今、防衛費を増額する方向です。しかも国民の大半がそれを支持している。多くの調査で、防衛費増額の支持率は5割を超えています。

問題は、朝日などのメディアや一部の「専門家」が、「日本の防衛費増額は軍拡競争を煽る」と批判することです。

日本が防衛費をＧＤＰの1％以下に抑え続けている間に、中国は軍拡を続けました。日本が防衛費を増額したから中国が軍拡したわけではない。両者には因果関係も相関関係もないのです。ところがメディアは、あたかも因果関係があるかのように報じ、不安を煽るわけです。日本を丸腰状態にさせておくためなら、嘘でもなんでもつきます、不安や恐怖もいくらでも煽りますという、「病気」に近いものがある。

高山　ところがせっかくの防衛費増額も国交省所管の海上保安庁予算をひっくるめようとしている。財務省のバカがＧＤＰ２％はもったいない、財政健全化だ、まずプライマリー・バランスだと海保も含めて予算の増加分を圧縮できると考えた。しかし海保は海の警察と決められ、よその国のコーストガードとは大きく任務が制限されている。戦闘行為はできないと決められている。そんなことまでして国防費を抑え込もうとする。おまけに日本が防衛費を増やす話になると、朝日新聞や毎日新聞はわざわざ中国に投げて、その打ち返しを待っている。

飯山　中国が「許せない」とか「挑発だ」と言うのを聞いて安心しているのです。日本のメディアはどこの誰の利益のために報道しているのか。私には日本のメディアは、報道を利用し、日本の国益や日本人の福利に反する情報で国民を洗脳する「活動家」に見えます。

■サウジの悪口に不感症になるな

飯山　現実を客観的に認識することが大切です。中国もロシアも、日本を挑発する行動を続けています。中国は2022年8月に日本のEEZ（排他的経済水域）にミサイルを5発撃ち込みました。実は習近平は2016年には尖閣諸島の権益確保は「我々の世代の歴史的重責」だと言っていた。中国の日本に対する領土的野心、侵略意欲を否定するのは不可能です。

ロシアも日本に、「日本は敵国だ」「北方領土はロシアのものだから絶対に返さない」とはっきり言っていて、ご丁寧に北方領土付近で軍事訓練もやっています。メディアの問題は中国、ロシアの脅威を矮小化し、日本を丸腰状態のままにさせようとしていることだけではありません。

中東について言えば、日本は中東産油国から原油を輸入しなければ生きていかれないのが現実なのに、なぜか中東産油国を腐したりバカにしたりするような報道を繰り返しています。

特に目立つのは、日本の原油輸入先第1位と第2位のサウジとUAEに対する悪口です。サウジが出てくるニュースでは、サウジの実権を握っているムハンマド皇太子が記者殺害に関与したと必ず言及する。2018年にサウジの反体制派のカショギ記者が、トルコのイスタンブールにあるサウジ領事館で殺されてバラバラにされた件です。これを繰り返すことにより、日本人に「サウジといえば記者を殺してバラバラにした残忍な国」と印象づけることができる。サウジは日本のメディアをチェックしています。サウジを貶《おとし》める報道を繰り返していること自体が、日本のエネルギー安全保障上のリスクなのです。どんな報道をしようと自由だという日本メディアの論理が、サウジのような国に通用すると思ったら大きな間違いです。

■戦力があるから国際正義を通せる

髙山　国家である以上、ちゃんと戦力は持たなければならない。日本は今、国の体裁すらなっていない。

１９６０年代社会部記者時代にソ連の長い抑留生活から戻ってくる根室の漁船員の留守家族を取材したことがありました。抑留時に母親のお腹にいた娘はまだ見ぬ父の写真を母から見せられ、「よく覚えていくのよ」とその日に備えていた。そのとき、ストーブの傍にいたおじいさんが「昔は、オホーツクの奥まで漁に出てた。漁に出ると、ソ連の船がすぐにやって来る。新造船だとおっかけ回して、漁船を拿捕《だほ》して船を取ろうとする。こっちは懸命に逃げ回った。もうダメかと思ったときにソ連艦が急に反転して、逃げ出した。前を見ると日本の駆逐艦が高速で接近してくる。「舷側に立った水兵が漁船のほうに敬礼した。みんな泣いて、バンザイをした」と思い出を語った。日本人を守る軍がいる。どれほど頼もしかったかが伝わってきました。それが国家というものです。

ソ連がやったような無法は今も世界で起こっています。善隣友好だとか、親切だとか、真心だとかいうものが通用するというのは日本人の妄想で、現実には１００人を超す日本人が北朝鮮に拉致されて何もできない。北方領土ではロシアが公然、拿捕と銃撃をし、好きに罰金を取っている。韓国ごときに竹島を取られ、中国に至っては日本領の尖閣諸島をわがもの顔で盗って日本は自国領の海なのに漁に自主規制させられる。こんなのは国家とは言わない。国がきっちり漁民すら守れていないでいる。外交を含めて日本は力を持たなければならない。力があって初めて国家なのです。

第一次大戦後、「国際連盟の憲章には前文でもいいから人種平等を入れよう」とパリ講和会議の日本政府全権代表だった牧野伸顕が主張しました。そう主張できたのも、やはり当時の日本が戦争に強かったから。その正論に当時、国際世論は揺り動かされ、もう少しで可決する勢いだった。最後米国と豪州が結託して横車を押し通した。

結局、米国は国際ルールを破って日本の主張を跳ね除けた。今の中国と同じだ。2016年7月、国連海洋法条約に基づく仲裁裁判所（オランダのハーグに設置）は「南シナ海で中国が設けた九段線には国際法上の根拠がない」という判決を下すと、それに対して、中国は「判決は紙屑だ」と言って完全に無視した。

飯山　南シナ海のほぼ全域に主権が及ぶと中国は主張していますね。

髙山　この判決で、南シナ海のほぼ全域を囲む九段線の中に中国の主張する主権や管轄権はないことが法的に明確になりました。中国にとって全面敗訴の内容であり、当然の結果です。当事国は判決に従う義務を負うという点では法的拘束力はあります。しかし判決には罰則を科したり判決を強制したりする力はない。それをいいことに中国は、国連海洋法条約の批准国であるにもかかわらず、すぐに「判決は紙屑だ」という声明を発表したわけです。

この中国の態度はパリ講和会議での米国とまったく同じです。あのとき米国大統領のウッドロー・ウィルソンは米国のわがままを全部通した。

それでも日本の考え方を主張できたのは、当時の日本が強力な軍隊を持っていたからだ。強力な軍隊がないと正論も主張できません。だから軍隊は本来、横暴を通すためにあるのではなく正論を主張するためにこそ必要なのです。

飯山　今の日本にそのような力はありません。

もうひとつ私が問題視しているのは、日本が独裁国家と関係を続けることで問題解決に寄与できるとか、米国と独裁国家の間をとりもつ「パイプ」「架け橋」になれるという主張です。たとえばミャンマーでクーデターが発生し、軍事政権が誕生したとき、日本政府は非難を避け、軍事政権と関係を継続することで相手を軟化させることができると主張した。しかしミャンマーの軍事政権は反体制派を拘束、処刑したり、村ごと焼き払ったり、弾圧を激化させている。日本の「パイプ」など、まったく役に立っていないのです。

安倍元総理が2019年にイランを訪問した際も、メディアはイランと米国のパイプ役、仲介役を果たせるはずだと大いに持ち上げた。しかし結果的には、イランの最高指導者は米トランプ大統領など対話するに値しないと拒絶し、おまけにイランは日本のタンカーを攻撃して穴を開けた。パイプ役だの仲介役だの、そんなものは日本国内でメディアや官僚がつくり上げた妄想にすぎないことを思い知らされたはずです。

高山　日本の官僚は「官僚」になった時点で自分の出世しか考えてない。自衛隊を軍隊とさえはっきり言えない国に、他国を仲裁する力などあるはずがない。その冷厳な事実を日本人は自覚すべきです。

第2部

中東混乱の元凶は何か

第4章

イラン・イスラム革命の衝撃

革命とイラン・イラク戦争

■ホメイニ体制で一変したイラン

高山　第1部では中東を中心にした世界の見方を話しましたが、この第2部では、中東情勢がかくも複雑となった原因を探りたい。イスラム教の論理やその世界観など日本人に知ってほしい話もしたい。

私がイランに駐在していたころは、イラン・イラク戦争があって、イランのホメイニ師はこう言った、「この戦争はイスラムに基づく聖戦だ」。対してイラクのサダム・フセインは「カーディシーヤ」を持ち出した。前述したように、イラン・イラク戦争をもアラブ人とペルシャ人の民族戦争だと言っているわけです。そのうえで、本家本元のイスラムはアラブ人の宗教であってお前らペルシャ人の信ずるイスラム（シーア派）は勝手に教義を変えた異端だとも言っている。これは正しい指摘だと思います。

アラブ人対ササン朝ペルシャの民族対決だったカーディシーヤの戦いではアラブ人

が勝ち、イスラム勢力が世界宗教にと膨張する大きなきっかけとなった。
一方、イ・イ戦争は結局、双方とも勝ち負けのない形で終結して、あとには異様なシーア派国家が残った。イランのどの建物の入口にもビッグ・サタン（大きな悪魔）である米国の旗とイスラエルの旗が床に描かれて人は誰もそれを踏みつけにするよう指示されていた。ホメイニ師に心酔する狂信者は「サダム・フセインのような民族主義者を倒し、イスラムの力でアラブを糾合し、イスラエルを地中海に追い落とすのだ」とも繰り返し叫んでいたのです。

飯山　今でもイランの体制は、官製デモでイラン国民に「アメリカに死を！」「イスラエルに死を！」と叫ばせたり、アメリカやイスラエルの国旗を踏みつけさせたりしています。

髙山　私はイラン・イラク戦争の戦場にも6回行きました。

飯山　地雷によく当たらなかったですね（笑）。

髙山　いや、地雷で死にそうにはなりましたね。戦場での小休止中、読売の記者と目の前にいくつも積んであった樽みたいなものに石を投げていたら、イラン兵がすっ飛んできて、「何やっているんだ！　あれは対戦車地雷だぞ」血相変えていた。樽の上に緑色をした突起があってそれが信管だった。石が当たって作動したらそこらへんは火炎ナパーム地獄になっていたでしょう。そういう危ない地雷や不発弾がほんとにそこらに散らばっていた。

飯山　よく、ご無事で。

髙山　でもあのころはまだのどかで、日本人記者のほかタンユグ通信やアンテンドゥのカメラマンも戦場取材に来ていた。あるとき、イランが国境の街メヘランを取り返したというので出かけた。タブリースまで旅客機で飛んで、そこから軍用ヘリに乗ったのだけれど、その辺の制空権はもうイラクが取っていたみたいで、ヘリは地を這うような低空で丘陵地や谷底にへばりつくように飛んでいった。高度を上げると、敵に見つかってジェット戦闘機の餌食になるから。それでやっと目的地の涸れ川の真ん中に降りた。ヘリはすぐに飛んで帰っていったのと入れ替わるように向こうから2機のミグ23戦闘機が超低空で飛んできた。パイロットの顔が見えるくらいの近さまで来て、翼の下のロケット弾を発射した。「やられた！」と思わずタンユグ通信の記者と抱き合った。そしたらロケット弾ははるか頭上を飛んで行って、ずっと後方にある兵站地区から爆発音と火炎が上り立っていた。

それから丸一日、迫撃砲弾や機関銃で撃たれ続けた。爆弾が爆発するときの音と風圧は本当に神経を痛めた。我々みたいにせいぜい2、3日戦場に来ただけでＰＴＳＤ

の後遺症に苛まれる記者はけっこういました。

飯山　1978年からイランで反体制運動が始まり、翌1979年にはイランのパーレビ国王が国外退去しました。代わって亡命先のパリからイランに戻ったのがホメイニというイスラム教シーア派の法学者です。彼はイランで熱狂的に迎えられた。そして自らの掲げる「法学者の統治論」という政治イデオロギーに基づく体制を構築し、自らがその最高指導者に就任しました。反体制運動として始まった動きが、イスラム革命に帰着したわけです。

高山　ホメイニ体制になったとたんにイランはガラッと変わってしまった。元来、酒好きで女好きのイラン人たちの生活が7世紀のコーランの世界に逆戻りさせられた。首都テヘランは中東でもっとも近代化して、女性のファッションはパリの街角と変わらないと言われていた。高倉健の映画「ゴルゴ13」もここで撮られた。そんな国でイスラム革命が起きた。革命といっても階級闘争ではなく、宗教闘争だった。もともとイラン人はアラブ生まれのイスラム教にはそう深入りはしなかった。結婚式と葬式で坊主を呼ぶくらいで、日本人の宗教観に似た印象がありましたね。

飯山　ホメイニが構築したのはイスラム法学者が全権を掌握する独裁体制です。

高山　私がイランに赴任した1985年にはすでに血なまぐさいイスラム革命の峠も一応

超えていた。それでも社会主義者系のムジャヒディン・ハルクや共産党系のフェダイン・ハルクの活動家が捕らえられては石打刑などで処刑されていた。マルクス主義は宗教と見做され、だから「イスラムを棄教した者、アッラーへの大罪を犯した者」になり、それで石打刑に処せられた。

飯山　1988年にイランは数万人ともいわれる「政治犯」を拘束し、大量に処刑しました。そのほとんどがムジャヒディン・ハルクのメンバーでした。ムジャヒディン・ハルクは今も海外に逃れて活動を続けていますが、このとき処刑されたメンバーは3万人にのぼると主張しています。多くの調査からも、少なくとも5000人が処刑されたのは間違いないと見られている。このとき拘束した反体制派に次々と死刑判決を下した「死の委員会」と呼ばれる4人の司法官がいました。イランの今の大統領であるライシは、このうちの1人でした。

ライシという人は長く体制側で反体制派を弾圧する役割を担ってきました。ライシが大統領に就任すると、外国メディアは「テヘランのブッチャー（屠殺人）」とか、「ハングマン（吊るし屋）」などと呼んで批判した。しかしこのときもNHKや朝日は、立派なイスラム法学者が新しい大統領に就任したという主旨の報道をしていました。

高山　その時期はもう日本に戻っていました。そんな虐殺があったのは知らなかった。そういう宗教政権の持つ怖さは中世の魔女狩りにも通じるし、今のソ連や中国にも通じそうだ。そういうことをやる指導者は市民の怨嗟《えんさ》を買う。

イランに駐在している日本の新聞社の記者もそういう宗教の縛りは普段の生活でもよく感じた。イスラム革命防衛隊から戦場視察に連れて行かれたとき、バシジの若者に「最前線を見せてやる」と言われて彼らのバイクに乗っかっていった。

連れていかれた場所は、戦場を見下ろす崖をくりぬいた着弾監視所だった。精度のいいペリスコープがあって戦場が一望でき、彼我の戦況が一目でわかった。遺棄された戦車がよく見えた。元のところに戻ったら、無断で出かけたことを革命防衛隊に通報された。

彼らは戦車の陰に連れ込んでどこに行ったのか、何を見たのか尋問する。まさか見てはいけないものと思わずに「着弾監視所を見た」と答え、ただ不穏な空気を察して「観測用カメラのレンズを通して戦場の様子は見ていない」と言った。途端にこっちの手を摑んで傍らの遺棄戦車に押し付けた。目玉焼きができそうなくらい熱い。絶叫をあげて「見ました」「ごめんなさい」を繰り返した。それほど熱かった。

飯山　拷問じゃないですか。

高山　拷問ですよ。で、説教され、記事にしないことを約束させられ、それは支局の助手にも伝えられた。助手も監視役だった。革命防衛隊はことほど左様、やりたい放題。正規の国軍はその革命防衛隊の下に入っていた。

飯山 革命防衛隊は国軍の上に君臨しているだけでなく、さまざまな産業を支配下におき、イランの経済も牛耳っています。

髙山 トルコのエルドアンは知識人を一斉に逮捕しました。イラン・イスラム革命のときもそうで、知識人は全部まとめて逮捕されたと聞いている。

飯山 このときに海外脱出した知識人も多くいます。

■革命を成功させたふたつの狂信的な暴力装置

髙山 革命の原動力となっていたのはふたつの組織によるところが大きい。ひとつは第1章で話題に出た「バシジ」と呼ばれる民兵。

もうひとつが「アンジョマネ・イスラム（イスラム協会）」。労働組合の宗教版と思えばいい。とにかく狂信的な組織です。イスラム協会の存在はこちらの知っている限りは報道されていなかった。あるとき、病院の取材に行ったときに偶然、見つけた。

ホメイニ師の教えでは女医は男の患者を診てはいけないし、逆もまたしかり。しかしそんなことをすれば現実的に病院は成り立たない。だいたいそんな宗教教義を優先したら救急患者が来たときに手術もできなくなる。それでホメイニ師は「医者は、鏡を通してなら、異性の患者を診断してもいい」というお達しを出した。

これが面白くて病院に取材に行った。院長の部屋を訪ねると2階に行けという。2階に上がって院長室と思しき一番ドアのでかい部屋を開けたら室内には得体の知れない髭面の連中が何人かたむろしていた。私を見て連中もぎょっとして、「何しに来たんだ」という。「院長を訪ねてきた」と答えたら、隣の小さな部屋に連れて行かれた。「あいつらは誰ですか？」と院長に尋ねたら、こう言った。「今、この病院を仕切っている集団で、アンジョマネ・イスラムの者だ」と教えてくれた。

その後の取材でわかったのは、イラン・イスラム革命の前から、アンジョマネ・イスラムなどホメイニ師を信奉する狂信的なイスラム教徒たちが各企業や各大学に浸潤していた。イラン・イスラム革命でホメイニ師がテヘランに凱旋すると同時にアンジョマネ・イスラムが決起して各企業も病院も役所も大学もそれぞれのアンジョマネのメンバーが掌握した。それで、会社では社長を追い出してそれまで清掃員だったアンジョマネ・イスラムの男が代わりに社長になり、大学でも同様に昨日までの用務員が今日は総長になってしまった。そんなことがイラン中の企業や大学で起こったのです。たとえばメリ大学でも理化学の実験をやっていた用務員が総長になった。

そんなバカは通じないと抵抗する者も当然出たけれど、ホメイニ師の狂信者はそうした抵抗者を片っ端から殺していった。その権限をホメイニ師が認めていた。イラン・イスラム革命はこうして成立したのです。

飯山　2021年にアフガニスタンでタリバンが政権を掌握し、米軍が撤退した後も、同じようなことが起こっています。

髙山　死の恐怖で統治するのは宗教政権ならどこでもやるでしょう。そうやって革命後は殺しまくった。酒も飲むな、デートもするな。ダンスも踊るな。ただ善きイスラム教徒になれとしばらくはそれで抑え込めても市民の鬱憤は消えない。

それでホメイニ師はイラクと戦争を始めた。戦争中ならかなりの無茶は通じるから。それでもホメイニ体制はときに譲歩することもある。

ホメイニ体制は、酒とアヘンを禁止し、コーランに従い豚肉もウロコのない魚介類の食用も禁じた。その魚介類のなかにはイラン国民の大好物のチョウザメとその卵キャビアも入っていた。これにはさすがに国民が怒った。食い物の恨みが怖いことをホメイニ師も知っていて1983年9月、「チョウザメにウロコを発見した」とする眉唾な学説が登場して、再びイラン国民はチョウザメの切り身とキャビアを食べられるようになった。最近では酒も見つからないようにすれば飲んでもよくなったと聞きます。イスラム政権自体、そんな「お隠れになったイマームが再臨する」なんてでたらめだと知っている証拠ですよ。

メディア支配の実態

■イランから追放になった日経の記者

高山　革命の原動力が実は帰ってきたホメイニ師ではなく彼を待ち受けていたアンジョマネ・イスラムなど過激なイスラム教徒たちだったという記事を一度、産経新聞に書いたことがある。そしたらイランの日本大使館から「大丈夫ですか」という電話がかかってくるくらい、イランの日本人社会では大騒ぎになりました。

あとから思うとイラン情報省がチェックしていたのは、朝日新聞、毎日新聞、読売新聞、日経新聞だけで、あれだけ大きくイランの革命の実態を書いたのに、産経新聞の私はまったく無事に済んだ。つまり、産経新聞はずっと情報省の検閲を逃れていた。それがわかって、私は前にも増して書きたい放題書きだした。

飯山　イランは報道規制、情報統制が徹底していますから、体制に不都合なことを報じる外国メディアは拘束されたり追放されたりします。米「ワシントンポスト」はイランに出禁になっているメディアのひとつですが、今も実に骨太なイラン批判記事を出しています。

高山　あのときは、当たり前のことを書いても処罰された。たとえば、表の建前では1ドル70リアルなのに、実態は1ドル1400リアル。表と闇では20倍違う。だから、イランではみんな闇ドルを使っていた。それを書いた東京新聞の記者は追放された。このときには情報局も東京新聞をチェックしていたのでしょう。

また日経新聞の記者も追放された。しかも、その原因は実は私だった。

あるとき日本の商社マンと話をしていたら、内緒で「L／C（レター・オブ・クレジット：信用状）が落ちなかった」と耳打ちしてくれた。

こちらは社会部育ちだ。切った張ったに手本引きは知っていてもL／Cなど意味もわからなかった。

雰囲気からすごいネタとはわかっても意味がわからなくては宝の持ち腐れだ。で、「L／Cが落ちなかったそうだ」と日経の記者に言ってみた。彼は仰天してネタの意味を教えるけれどネタの詳細をくれないか、つまりウチと日経の特ダネにしたいという。

取引は成立した。彼曰くL／Cは、輸入業者（買い手）の取引銀行が輸出業者（売り手）に発行するものだそうで、平たく言えばその決済をその国の中央銀行が保証するという意味になる。それが落ちなかったとはイランの中央銀行マルカジが決済すべきドルを一時的にも持っていなかったということになる。結果は明白で、その国の信用、つまりカントリーリスクが跳ね上がり、次の海外との取引は利率がものすごく跳ね上がる。

イランはあの辺の国にしてはそういううっかりとかガサツな対応はない。まともな国だ。だからイ・イ戦争を戦っている最中でも信頼度は高かった。それが取引銀行のドルが枯渇してイラン中央銀行もそれに対応できなかったというのだ。世界的な影響を考えればそれはすごい特ダネだった。その深刻さによってはあるいはホメイニ師のイスラム政権も倒れる前兆になるかもしれない。

イラン政府としても何としても隠蔽したいネタだったので、関係者に対して厳しい箝口令《かんこうれい》を敷いていた。

かくて翌日の日経は一面トップ級の扱いだった。経済紙なら当然だろう。で、わが社はと見たら一面にない。二面の総合面にもない。外電面の2段見出し、つまりほとんど雑報扱いで載せていた。はっきり言って特派員を仕切る外信部は英語やフランス語は話せても、およそ世間常識はない。こちらが特ダネだと言って送ってもその価値もわからない。隣に経済部があるのだから聞けばいいのに、「私は英語で話せ、英語で笑える」のが唯一の自慢だ。外国人と喋れない連中に頭を下げてモノが聞けるかみたいなところがある。

この記事はテヘランでも大きな騒ぎになった。各国の外交官が水面下で走り回り、日本大使館もいろいろ問い合わせがあったようで、イラン側の苦渋が手に取るようにわかった。それから2週間後、日経記者が何の理由も告げられず、国外追放になった。理由は私とネタをシェアした日経記者本人だけは知っていた。ただ同じネタが小さい扱いとはいえ紙面に載っていた産経新聞に対しては、何のお咎めもなかった。産経新聞はイラン情報省のチェック対象になっていなかったから、まあ当然だった。

■日本人記者が引っかかってしまったハニートラップ作戦

高山　イランには間違い電話遊びというのがあった。アッラーはとりわけ男女のふしだらを嫌った。それをホメイニ師の十二イマーム派はより厳しく解釈して、初潮を迎えた女は成人の女と見做して、家族、夫以外に顔を見せてはならないとされた。

ということは高校生のデートも禁止なら、中学生が一緒に登校するのも禁止。学校も男女別だった。夫婦以外が一緒に食事もできない。街角で話をするのも禁じられ、見つかれば鞭打ち刑に処された。男女が知り合う場もなかった。
　そういう事情から生まれたのがこの間違い電話遊びと聞いている。たとえば女子高生がランダムに電話を掛ける。女性が出ればすぐ切る。また電話しておじさん声が聞こえれば切る。やっと、同じくらいの年ごろの男の子が電話に出ると「私、どこどこ女子校の生徒だけど」とかいう。男の子もいろいろ駄弁《だべ》り、話がはずめば電話番号を教え合って次も電話デートする。
　テヘランの支局にもよく電話があった。イラン人だと「バレ（はい）」と答える。英語で答えると切られる。なんでも「バレ」と答えたものです。

飯山　女の子が電話をするというのはイランだけではなくアラブでもけっこう盛んでした。私が留学していたモロッコでも、女の子たちはヒマつぶしに適当な番号に電話をかけて遊んでいました。たまに話がはずんで、近くに住んでいたりすると、「ちょっと会いましょう」という感じになる。女の子はこういう場合にも兄弟を連れて行ったりするわけですが、それでもちょっとした「出会い系」のようなものです。

高山　同じなんだ。中東イスラム圏はみんな「間違い電話」デートしているんだ。イランではそうやって示し合わせてデートしてもレストランの入口で結婚証明書の提示を求められ、なければ、男は男部屋に、女は女部屋に入れられて、別々に食事をすることになる。

ただ、映画館だけは男女を座席別にしていない。だからうまく示し合わせて隣に座ってデートするというのがはやっていた。

その電話デートを使った情報省の仕掛けに毎日新聞の特派員がもろに引っかかった。間違い電話を装って女の子が電話をかけてきて、誘われるまま、彼女の家を訪ねた。ベッドルームにいざなわれ、さあというときに情報省の連中が踏み込んだ。

イラン式ハニートラップで、非イスラム教徒が女の家に入り込んだだけでイスラム刑法は懲役10年は食らう重罪だった。表沙汰にもできない。結局、彼は情報省の言いなりになって各国大使館から情報を取る仕事を1年、続けた。

飯山　スパイに仕立てられたということですね。

高山　イランはペルシャ帝国の歴史と伝統がある。人間のツボを心得た手口を駆使する。日本人などいちころだった。

この特派員はテヘラン駐在の任期が切れ、異動になる。後任の記者が来ても情報省はせっかく養成したスパイだ。そうおいそれと手放さない。パスポートも取り上げているから彼も逃げ出せない。彼は困って日本大使館に駆け込んで助けを求めた。今度は日本大使館がびっくりだ。日本人特派員だと思ってけっこうな機密も彼に提供していた。大使館も激怒するし、各国大使館も怒る。しかし、邦人保護もある。大使は悔しさをにじませながらイラン情報省と交渉して、結局、毎日新聞のテヘラン支局は閉鎖され、記者は3日間勾留されたうえで国外追放処分となった。毎日新聞はこの事実を伏せ、当の記者も各国大使館をスパイして回った破廉恥を糺されることもなく、のちにパリ支局に栄転している。

日本人記者がイラン情報省の手先になって各国大使館をスパイした事実は動かない。こういう国際関係にも影響を及ぼす不祥事は新聞社ならきちんと処理しなければならない。実際、残されたこっちも各国大使館から実に冷たい扱いを受けたものです。毎日新聞はかつて「百人斬り」の嘘を書いて無実の陸軍少尉2人を処刑場に送った。今も朝日新聞以上に異常な反日新聞になっているが、このテヘラン事件では新聞社としての適格性を明らかに欠いていることを示している。毎日にいい記事を期待しちゃあいけない。

飯山　他の記者はどうでしたか。

髙山　NHKの記者も似たようなことをやった。単身赴任なのに独身を装ってイラン人の女の子とデートしたのはいいのだけれど、女の子のほうがのぼせた。それをイラン外務省の職員だった父が知ってＮＨＫ記者を調べた。彼が既婚者だと知って怒って情報省が動いた。彼は呼び出され脅された。彼は真っ蒼になって古株の私のところに相談にきた。で、私は毎日新聞の記者の例を教えた。あっちのスパイにされたくなかったら正直に話せと言った。そしたら、まあ手を握るくらいで性的接触はない。ごく軽い付き合いだという。それなら簡単に解決できる。毎日の場合記者は大きな恥だと思って誰にも相談しなかった。そこに付け込まれた。それなら、むしろ記者仲間から大使館か、取材先までみんなに、既婚者なのにイランの女の子とデートしてしまい、それがイラン側にばれてしまった、と言って歩けばいい。秘密にしておくから付け込まれる。公開すれば情報省が脅かす材料ではなくなるからだと。

で、その場で家に戻っている助手に電話をかけてＮＨＫの記者の不祥事を面白おかしく伝えた。助手は情報省の一員みたいなものです。情報は瞬く間にテヘランの邦人社会にも広がり、おそらく大使館も関心を持って彼の状況を観察したと思う。

そこまで情報が知れ渡れば、情報省も脅しの材料には使えなくなる。ＮＨＫの記者はこれで助かり、こちらはＮＨＫが持ち込んでいた旨い日本米を謝礼にもらった。ぱさぱさのイラン米に比べなんとおいしかったことか。

飯山　イラン版ハニートラップ作戦ですね。

髙山　ＮＨＫの記者についてはイラン情報省が故意に仕掛けたのかどうか、よくわからない。毎日新聞の記者のほうは間違いなくハニートラップです。

■圧力に負けてのイラン寄り報道では特派員の意味はない

髙山　現イランの最高指導者であるハメネイ師は右手が動きません。

飯山　右手が麻痺しています。昔、爆弾が仕掛けられて暗殺されかかったのが原因ですね。

髙山　そう。記者会見のときにハメネイ師のテーブルの上に置いた記者のテープレコーダーが爆発したために右手をやられてしまった。以後、イランの政権関係者の記者会見では、記者が持ち込んだテープレコーダーやカメラは必ずイラン当局から厳しい点検を受けます。記者会見には非常に神経質です。

飯山　イランは世界でも最も取材規制の厳しい国です。報道の自由は一切ありませんし、体制の意に反する報道をしたジャーナリストは容赦無く拘束されます。

　外国メディアも例外ではありません。イランの体制が報じてほしくないことを報じた記者は、国外追放されるわけです。

　一方で、日本には今も、奇妙な現場偏重主義があります。現場に行った記者こそが偉いということになっているので、その記者が実は現場からものすごく偏向した報道をしていることは問題視されない。

この典型がイランです。NHKや共同通信、朝日新聞などは今もイランに支局を置き、特派員を常駐させています。では彼らはどのような報道をしているかというと、完全にイランの体制に阿《おもね》る報道をしている。

髙山　しかしイラン寄りにならないように書きようはある。私がイランにいたときには北朝鮮出身者が検閲に当たっていた。だから彼の読解力ではわからないような記事の書き方をした。

すでに述べたように産経新聞はイラン情報局のチェック外だと思っていたので、好きなことをいろいろ書いていた。

あるとき、イランでお米の買い占め・売り惜しみ騒ぎが起こった。しかしイランの坊主政権は全然動かない。それで次のように書いた。「コーランには小麦、大麦、干しブドウ、食用油、デーツ（棗椰子《なつめやし》の実）の5品目の買い占め・売り惜しみはしてはいけないと書いてある。それなら、お米の買い占め・売り惜しみも同じようにゆるされないだろうに」。

このとき、ホメイニ師のレサレ（博士論文）にあった「トイレを終わった後は手ごろな大きさの丸い石でお尻を拭う」「ひとつの石で2度拭い、3度以上拭ってはならない」を引用したのです。石が角ばっていたらおしりを怪我する。手ごろの大きさだから2回くらいしか拭けない。実にもっともだ、「それだけ理非がわかった人がトップにいながら、なぜ今や主食になっているお米の買い占め・売り惜しみを規制できないのか」と。

産経新聞の記事は検閲されていないと妙な自信があったけれど、そのときは違った。書いて割に早くイラン当局から呼び出しがかかった。実は東京の駐日イラン大使館が読んでこれは問題だと本国に伝えたことがあとでわかった。

出頭してみてびっくりした。上段の席に3人の聖職者が座っていた。ほんとの裁判所だった。で、尋問の前に記者証を取り上げられてこれはまともには帰れないかなと思ったものです。

尋問は3人がかりでこちらのコラムの意図を厳しく問いただしてきた。様子からよくて国外追放、悪いとテヘラン北部にあるエビン刑務所に入れられるのではないかと予感したね。

飯山　エビン刑務所というのは、政治犯が多く収容されている、イランの中でも最も悪名高い刑務所のひとつですね。

高山　十分わかっています。尋問の結果も予想したとおりかなりの悪意と見下した姿勢で書かれたと判断され、記者証は没収。本社に何らかの情報をあげたりすればスパイ罪として処断すると告げられ、大人しく自宅待機を言い渡された。しかし、家にいるのもピンとこないので冬場だし、車で行けば2時間ほどでディジンのスキー場がある。助手に断って滑りに行っていたら、また呼び出しがあった。

実はそのころ、国会議長のラフサンジャニ師の指揮でシャトルアラブ川を越えてイラク側の都市バスラを攻略する作戦が実行に移されていた。戦いはまずイラク側が奪っていたダリエ・チエ・マヒ一帯の奪還作戦から始まり、思った以上の大戦果を挙げ、イラク軍をシャトルアラブ川の向こうまで追い返した。

呼び出しがあったから国外追放が決まったのかと思ったら違った。「戦場に行け」「いい記事を書け」と記者証も返してくれた。なぜかというと、こちらは過去5回、戦場に出ている。その都度、わりと長文の戦場リポートを載せていた。それをテヘランの地元紙「ケイハン」が採録して「外国人記者が見た戦場」としてけっこう評判が良かったらしい。こちらは知らなかったが、クウェートの新聞もキャリーしていたというから、人気があったみたいで、今回はだから過去に負けないいい戦場リポートを出せという指示だった。イラン人の書く記事より、外国人の記者の記事のほうが信《しん》憑性《ぴょうせい》が高まるからかもしれない。芸は身を助けるというけれど、記事のおかげで国外追放を免れるとは思わなかった。

もっとも戦場のほうは過去にない濃密な十字砲火の下だった。本物の戦場で、何度か国外追放のほうがよかったと思うほど酷い目に遭った。とにかくこちらが案内されたイラク軍の司令部のあったドワジ村に入った瞬間、迫撃砲弾が降り注いだ。あれは爆発後紫っぽい硝煙が立つけれどそれで視界が奪われるほどだった。加えて120ミリ砲弾も飛んでくる。1発で目の前の建屋が消滅したときはイラン人兵士と「ミタルサム（怖いよう）」と騒ぎまくっていた。

■イランは必要とあれば外国の大使でも勾留する

高山　その数年後、私は産経新聞の「アジアハイウェイをいく」という連載企画をやった。当時、中国には産経新聞記者は入れなかったので、振り出しはベトナムにして、そこからアジア大陸を車で横断しながらアジア諸国がどうポスト冷戦を生き抜こうとするかを取材し、新聞に連載するという、けっこうしんどい旅でした。ベトナムからカンボジア、タイ、マレーシア、シンガポール、バングラデシュ、インドと旅してパキスタンに入ったとき、ふたつ奇妙なことが起きた。

まずイスラマバードのイラン大使館に行って次に入国するイランの取材ビザを取ろうとした。一度、東京のイラン大使館で取得はしていたけれど、3カ月経つと失効する。再発行だから何の問題もないはずですが、なぜか発行しないという。「大丈夫。ノービザの観光入国でいい」という。それはおかしい。イランでは特派員として駐在中、取材ビザなしでの取材はスパイ行為と言われてきた。

首をかしげているところに今度は日本の外務省から電報が届いた。文面は「アジアハイウェイ取材中の髙山正之とは『鞭と鎖の帝国——ホメイニ師の世界』（文藝春秋刊）を出した髙山正之と同一人物か」「もしそうならイランに入ると逮捕拘禁される」とあった。

逮捕拘禁される理由はわからないけれどそれでイラン大使館の対応の意味がわかった。イランはああ見えて実に律儀な国だ。取材ビザを発行すると、それはイラン政府の威信を以てビザを持つ人物の無害通行を保証している。それなのに逮捕拘禁したら、大嘘をついたことになる。だからビザは発行しなかった。ノービザの観光で入国したところをしょっ引いても何ら恥ずべき嘘はついていないというわけだ。

かくてイランに入国したら危ないことはわかったけれど、問題はその理由だ。確かにイランから戻った後、その体験記をまとめた本を出した。その中身の3分の1は記事にしていたものだ。よくわからないからテヘランの知り合いに電話してみた。ある新聞社支局の助手だった人物で情報省にも近い。在任中は仲がよかったので電話をかけてみたら、「あんたは危ない。捕まるかもしれない」という。イランの日本大使館にも電話したら「実は大使がイラン当局に勾留された。あなたがあの本に書いた１００分の１ほどのことをジャパンタイムズに書いただけ。おまけに外交特権を持っているというのに３日間も勾留された。単純計算でもあなたは３００日の禁固は間違いないし、外交特権もないからもしかしたらもっとひどい目に遭うかもしれない」というのだ。大使が勾留されたことは公表されていないが、それは大変な事態だし、警告の電報の意味もこれで理解しましたね。

勾留された大使の名前は教えてもらえなかったけれどおそらくその後、駐米大使になった斎藤邦彦ではないか。宗教政権の持つ空恐ろしい一面を見た思いだった。

飯山　イランは今も、外国人ジャーナリストや研究者、旅行客までも狙って捕まえています。イランと米国、イランとフランスなどの二重国籍者もよく狙われます。これはいわゆる「人質外交」のためで、イランには常に、数十人の外国人が「人質」として拘束されている。たとえば米国に対し「この問題で妥協しないと、こいつを吊るす」と脅迫するわけです。だから米国は自国民に対し、イランへの渡航を禁じている。渡航すると捕まって人質にされるからです。

高山　さもあらんとあのときは、忠告どおりイランをスキップしてトルコに行きました。

飯山　大使がパクられた話はどこかが報道したのですか。

高山　日本でも現地でも報道されていなかった。

パクられた大使の名前も調べられなかった。その後何年か経ってロサンゼルスで、斎藤駐米大使に会う機会があった。パクられた話については「私のことじゃないでしょうね」と言っていた。

第5章

知らなかったでは済まないイスラム教

イスラム教の非常識な常識

■石油狙いだった米英

高山　1820年代前半、当時の米国大統領は、在メキシコ公使に赴任するジョエル・ポインセットに、メキシコ国内で内乱を起こさせるよう画策しろと命じました。内乱に乗じてメキシコが持つ今のニューメキシコやカリフォルニア、アリゾナ辺りを侵奪しようという狙いだった。しかし内乱を起こす計画がメキシコ政府に見破られてしまい、メキシコ側の首謀者は処刑され、ポインセットも国外追放になった。メキシコを去るとき、野辺の花を持ち帰った。冬場に苞《ほう》（葉が変化したもの）が赤くなるポインセチアで、その名は彼の名に由来している。

ポインセットは、メキシコに行く前後にいろいろの国や地域を訪ねている。敵情を知り、騒ぎを起こし、米国が領土や権益を得られる材料にするためです。それで中東まで足を伸ばし、ガズニ朝時代のイランも訪れている。パフラビー朝（1925年～1979年）の初代皇帝となったレザー・シャーが革命を起こす直前の話です。イランでは原油が自噴する生の油井も見ている。今のフーゼスタン州のアフヴァーズ辺りでしょう。当時はまだ油井はほったらかしにされていた。

それを視察したポインセットは「ここはやがて米国が取らねばならない」と言った。そういう言葉を米国人をして言わしめるくらい、中東は油と結び付いているわけです。米国にとっても石油を確保するために中東はどうしても取らなければならない場所だった。

１世紀後、英国は第一次大戦前から石油目的で中東に目を付けた。だから第一次大戦でオスマン帝国が敵側に参戦すると、すぐに中東攻略を始めた。

トルコが負けると中東をさっさと手に入れた。あの戦争は英国にとっては石油争奪戦でもあった。石油の出るイランやイラク、サウジ、クウェートなどの有用な部分は全部英国側が取った。クウェートは今も英国直轄領です。そして石油の出ない、つまりそう大事でない部分のシリアやレバノンなどはフランスに押し付けた。

中東問題とは良くも悪くもすべて石油がらみと言っていいと思う。

飯山　「中東（ミドルイースト）」という地理概念を確立し、多用するようになったのは大英帝国です。英国から見ると、植民地であるインドは「東」です。インドから英国に至るルートにある地域は戦略的に重要だとされ、中東と呼ばれるようになった。中東と呼ばれる範囲が今と同じ辺りを指すようになったのは、第一次大戦でオスマン帝国が崩壊した後です。

このように中東という概念自体に、もともと英国の覇権や世界戦略が強く影響しているので、どこを中東と呼ぶのかというその範囲自体が各国の外交戦略を象徴している場合もあります。

イランの場合には、中東という概念自体を退ける傾向にあります。敵がつくった概念など使うか、というわけです。

日本の外務省の場合は、東はアフガニスタンから西はトルコ、イスラエル辺りまでを中東と呼んでいます。エジプトやリビア、チュニジア、アルジェリア、モロッコなどは北アフリカと呼んでいます。

髙山　中東は石油があるからこそ欧米も着目する。ただし中東は複雑な人種構成になっているので、石油問題にも自ずと複雑な人種構成が影響を及ぼしている。

アラブ人とは兄弟のユダヤ人はしょっちゅう兄弟ゲンカをしてきた。彼らを東方から抑えてきたのがアケメネス朝のペルシャだった。

彼らはアーリアンです。ペルシャはイスラムにササン朝が滅ぼされる651年までこの地域をほしいままに統治してきた。ちなみに日本で法隆寺が創建されたのは60

７年。そのころのアラブ人はベドウィンをはじめほとんどが部族社会だった。

飯山　ペルシャをサザン朝が、ヨーロッパをローマ帝国が支配している時代に、アラビア半島で生まれたのがイスラム教です。

■バラバラの部族社会をひとつにまとめた

飯山　イスラム教は本質的に、政治を強く志向する宗教です。イスラム教は「神の法（イスラム法）」による統治を全世界に広めることを目標としています。神がそれを目指せと信者に命じているので、信者の側にそれを否定する論理はありません。

アラビア半島におこった一共同体にすぎなかったイスラム教徒の集団が、急速に「帝国」へと拡大したのは軍事征服を行ったからです。預言者ムハンマドの死の直後、６３３年には軍事征服に着手し、それから20年と経たないうちに東は今のイランから西はリビア、北はジョージアまでを征服しました。彼らを征服へと駆り立てたのが信仰心であることを理解すれば、イスラム教の本質が見えてきます。

イスラム教徒の軍事征服はさらに西に進んでモロッコに至り、ついにはジブラルタル海峡を渡ってスペインにまで至りました。

一方サハラ砂漠やそれ以南の地域、および東南アジアなどについては、軍事征服ではなく主にイスラム教徒商人との交易を通じて、現地の王などがイスラム教に改宗したことにより、イスラム教が広まりました。

髙山　これは私がイランで聞いた話だけど、イスラムは、たとえば無権代理人といった商売のルールを決めていた。だからお互いイスラム教徒だとトラブルが少ない。そんなワケで交易ルートに沿う港町やシルクロードに沿ってイスラム教徒がどんどん増えていった。

つまり、ビジネスの取引でも同じイスラムの規範に基づいてやると、決済から何から話がスムーズに進む。イスラムは西方は武力制圧なのに、東方ではまさに商業貿易ルート沿いの商談を通じて拡大していった。これがイスラムのもうひとつの拡大要素だったと。

飯山　東南アジアやサブサハラの有力者が次々とイスラム教に改宗したのは、当時のイスラム教には「カッコいい」と思わせる何かがあったからだと思います。それは一神教の信仰であったり、イスラム法の規範であったりした。イスラム教というのは非常に理路整然とした宗教です。土着の宗教にはない洗練されたものを感じた可能性があります。

イスラム法のルールで東南アジアからアフリカまで商売できます、というのも、彼らにとっての魅力だったでしょう。

髙山　見方を変えると、単なる部族社会にすぎなかったアラブの各種族がなぜ突然、ササン朝に勝つようなパワーを発揮したのか。結局、イスラム教が部族社会を超えた統合を初めてアラブ社会にもたらしたのではないか。

６４２年のネハーヴァントの戦いでササン朝を破るまで、有史以来アラブ人がペルシャ人に勝ったことはなかった。

アラブ人はペルシャ人の敵ではなく、ペルシャ人がもっぱら戦っていたのはギリシア人でした。ペルシャ人はアーリアンなのでギリシア人と同系列です。ただしギリシア人はギリシアの神々を信じ、ペルシャ人はゾロアスター教を信じていたため、同系列のアーリアンとはいえ、信教の違いで両者には亀裂があった。

２００６年に公開されたハリウッド映画の「３００（スリーハンドレッド）」は攻めてきたペルシャとギリシアとスパルタが戦うという話です。この映画では、ギリシア人にとってペルシャ人はさまざまな怪物の集団のように描かれていた。言い換えると、ペルシャ人は異教徒なので、ギリシア人には同じアーリアンだという意識さえなかった。

飯山　ギリシア人にとってペルシャ人はバーバリアン（野蛮人）にすぎない。

高山　けれども、ペルシャ人は中東の覇者であったことは間違いない。アラブ人など歯も立てられなかった。

そのアラブ人が団結してササン朝ペルシャを倒してイランを手に入れ、マグレブも落として、スペインのイベリア半島まで進出した。

8世紀にはピレネー山脈も越えてフランス領まで入った。ところが、フランク王国と戦争して負けてしまい、結局、イベリア半島まで押し戻された。イスラム教はヨーロッパではスペイン止まりだった。ヨーロッパの立場としては、どうにかイスラム教をスペインまで駆逐したということになる。

7世紀に誕生したイスラムがササン朝を呑み込んでマグレブを落としイベリア半島まで行ってフランク王国を脅かすようになったところに、宗教によって初めて団結したイスラムの強さが表れていると。

■妻は4人持てても棄教は死刑

飯山　イスラム教徒になりたかったら、その場でイスラム教徒の男性2人を証人にしてアラビア語で「シャハーダ（信仰告白）」を唱えるだけでなれます。シャハーダは日本語で、「アッラーのほかに神はなく、ムハンマドはアッラーの使徒だということを私は証言します」という意味。イスラム教徒になるのは実は非常に簡単なのです。その代わり、いったんイスラム教徒になったら抜けられません。

髙山　イスラム教は入るは易くても出口がない。棄教は死刑ですね。このことが日本ではとんど知られていないことは問題だと思う。

　イスラム教の教えで日本でもよく知られているのは妻を4人まで持てるということでしょう。

飯山　今、法律で4人の妻を持つことを禁じているイスラム諸国はたぶんチュニジアとトルコくらいではないでしょうか。

　その他のイスラム諸国では、4人まで妻を持つことが法律で認められています。しかし実際には、妻を4人持っている人には滅多にお目にかかりません。

　妻は2人持つだけでも大変です。2人の妻のために、同じサイズの家を用意し、同じ装備品を揃えなければなりません。もちろん同額のお金を渡さなければならない。「お泊まり」の日数も同じでなければなりません。お金も時間もかかるし、気も使う。ケンカや諍いが絶えない場合も少なくありません。

髙山　とすれば一夫一婦制のほうが楽だね。

飯山　妻がたくさんいるというのは、その男の財力や忍耐力の証拠として称賛されることもあります。基本的には複数の妻を持つ人はそれを誇らしいと思っている。
私はモロッコのフェズというところで、地元の名士と4人目の奥さんとの結婚式に参加したことがありますが、すでにいる3人の奥さんとその子供やら親族やらとの関係は実に複雑でした。女性の立場に立つと、4人妻制度というのはまた、違って見えます。

高山 パシュトーンに多い「クーチ」というテント生活で旅を宿にしている一家と出会った。ちゃんと4人奥さんがいた。テントの入口で、4人の妻が並んで羊の革袋でチーズやバターをつくっていた。近づいて写真を撮ろうとしたら亭主が出て来て鉄砲で撃たれた。

飯山 妻を4人ずらずら並べるのはなかなか珍しいですね。しかしその写真を撮ろうとすれば、やはり夫から「何をするんだ」と言って撃たれて当然です。

高山 妻を4人まで許されるということは、裏を返すと、5人以上の妻を持ってはいけないということ?

飯山 エジプトで有名な衣料品店を経営している「敬虔な」イスラム教徒がいたのですが、この人は妻を5人娶《めと》って逮捕されました。イスラム法では5人目と結婚したかったら、4人のうち誰かを離婚してからにしなさいと定められています。エジプトの法でも、これは違法行為です。

髙山　三木武吉みたいだ。戦後最初の総選挙（昭和21年）の立会演説会で対立候補から「妾を4人も連れている」と非難された三木が「私には妾が4人あると申されたが、事実は5人であります」とやり返した逸話がある。日本男児の甲斐性を語る言葉として知られている。

■「一時婚」というイランの売春制度

髙山　それにしてもイスラムでは女性の結婚年齢が低いですね。

飯山　7歳とか8歳のときに結婚することもあります。イスラム法には結婚最低年齢というのが定められておらず、生まれた瞬間から結婚できることになっています。

髙山　7〜8歳で結婚するというのは初潮があってからということですか。

飯山　これは預言者ムハンマドが最愛の妻アーイシャと結婚したとき、アーイシャが7歳だったという伝承に由来しています。預言者ムハンマドが生前に言ったことや行ったことは、真似るべきよき慣行（スンナ）とされているので、女子を早く結婚させることは基本的に「よいこと」だとされている。彼がアーイシャと床入りしたのは、彼女が9歳のときだとされています。女子は9歳になれば性交渉に耐えられる、と認識されている所以です。

髙山 初潮というのは9歳で迎えるものなの?

飯山 だいたいそのように理解されています。イランでも、女子は9歳になるとスカーフで髪を覆い隠すよう命じられます。「子供」から「女」になったとみなされるからです。

髙山 イランには「シーゲ」という一時婚制度があって、ものすごく賑わっている。

飯山 イランはシーア派の一派である十二イマーム派が主体なのですが、この派では一時婚と呼ばれる制度を結婚の一形態として是認しています。イスラム教の多数派であるスンナ派は、一時婚を認めません。

髙山 一時婚は日本でいう出会い系サイトのようなもので、男女が登録して一時的に結婚する。それが2時間でも1日でもいい。でも、同時に結納金を払わなくてはいけない。ありていに言えば売春かな。

飯山 イスラム教では、性交渉が許されているのは結婚している者同士か、男主人と女奴隷だけです。女奴隷というのは現代は基本的に存在していない。でも結婚さえしていればいいだろうということで、その結婚時間をあらかじめ極端に短く限定しておいても結婚だと認めるのが一時婚です。1時間結婚する契約を結んで、男は女に婚資を支払う。その間に性交渉する。

高山　実は私もテヘランの街の真ん中にあったシーゲ事務所で「登録したいのだけど」と聞いたら、「イスラム教徒でないとダメだ」と拒否されましたね。

飯山　一時婚の相手をさせるために、イランの貧しい家の少女が買われたり、あるいは少女が誘拐されて連れ去られることもあります。

高山　イラン人はそういうところはものすごく融通無碍《むげ》。アラブ世界も融通無碍なところはありますね。

飯山　アラブ諸国にも売春はあります。町の一角や特定のホテルに売春婦が集まることもあれば、売春婦しかいない売春村のようなところもあります。アラブでは、売春婦が全身を黒い布で覆い隠していることもあります。

■斬首刑や鞭打ち刑が娯楽

高山　イスラムではまだ斬首も鞭打ち刑もあるでしょう。

飯山　斬首で有名なのはサウジです。サウジには通称「ぶった切り広場」と呼ばれる広場があって、そこで公開処刑が行われます。

高山　最近もサウジでは斬首を１００人くらいまとめてやったとか。

飯山　数年前まではサウジには本当に娯楽が少なかったので、公開処刑は一種の娯楽だとも言われていました。

髙山　斬首を見に行ったことはありますか？

飯山　私はありません。

髙山　イランでは斬首ではなく吊るしていたね。

飯山　クレーンのようなものに何人もずらっと並べて首を吊るしますね。最近ではタリバンも絞首刑にした人を広場に吊るしています。

髙山　私は４人一緒にぶら下げたのを見ました。道路が交差する真ん中に公園のような緑地、メイダンがあって、その広場に鉄棒を組んで、４人をぶら下げたんですが、重かったために鉄棒がたわんでしまい、４人の足が地面に着いてしまった。そこで４人の首にかかった紐の端を持って警察官が引っ張って絶命させていた。

吊るすのは休日の金曜日の前日の、木曜の夜明けに決まっていた。イランの国民は首を吊るすのを見に行く。

飯山　娯楽の少ない国では処刑や、処刑された人を見るのが、一種の娯楽になっている。それを見て、悪いことをした奴はこうなって当然なのだと溜飲を下げる。

インドネシアのアチェでもイスラム法の刑罰執行が公開で行われています。アチェではイスラム自治が認められていて、イスラム法による統治が行われているのです。たとえば結婚していない男女が手を繋いだとか、ハグをしたとか、接近し過ぎたとか、目線を合わせたとか、それだけでも逮捕され鞭打ち刑に処されます。人々の目の前で決められた回数、鞭で打たれるわけです。同性愛行為や飲酒も鞭打ち刑です。

公開鞭打ち刑は、執行のたびに大勢の人が集まり、写真や動画を撮ったりもします。マレーシアからアチェまで、この鞭打ち刑執行を見るためにやってくる「鞭打ち観覧ツアー」のようなものもあります。

■半端ない女性差別

高山　イスラムの女性差別は半端ない。
２０１０年８月７日号の米国の『タイム』誌の表紙に、タリバンに鼻を削がれた18歳のアフガンの女性の顔がアップで掲載されました。悲惨で痛々しい写真です。この鼻を削がれた女性の名前はビビ・アーイシャで、12歳のときにタリバンの兵士と結婚させられた。伯父がそのタリバン兵の親族を殺してしまった代償としてアーイシャが償いとして引き渡された。さんざ虐待されて逃げ出したアーイシャをその家族が捕まえて鼻を削いだ。

飯山　山中に捨てられたところをたまたま米軍に発見されて、アーイシャは一命を取り留めたのですね。

髙山　こんなことが普通に起きる。アフガンではもともと女性の地位は低い。そこにイスラム教が加わった。コーランには、「女は畑だ、男は好きなときに耕せ」「生意気を言ったら打擲《ちょうちゃく》して放り出せ」などと書いてある。

鼻を削がれた女性の事件の背景には、アフガンの土俗的な女性蔑視とイスラム教によって抜き難い差別的な女性観が醸成されている。アフガンの女性は、権利がなくてかわいそうだというよりも、生きていること自体がかわいそうだと言いたくなる。

飯山　アフガンでは2001年以降、米国の傀儡《かいらい》と言われた政権が20年間続きました。その間、米国はアフガンで普通教育を広めたのです。だから、アフガンの30代～40代の女性は普通教育の恩恵を受けて育ちました。裁判官、医師、教師などいろいろな仕事に就いて活躍するようになった女性も少なくありません。

ところが2021年にタリバン政権が復活したので、女性たちは今までの仕事や権利をすべて奪われ、家に閉じ込められてしまいました。特にかつて目立つ仕事をしていた女性、たとえば裁判官や警察官などは、タリバンが家を一軒一軒訪ね歩いて探し回っている。タリバンの中には彼女たちに捕まったり、判決を下されたりし、恨んでいる人がたくさんいるからです。こういった女性たちは外国に逃げるか、さもなければ国内で場所を変えながら、タリバンに見つからないように暮らしていくしかない。

髙山　一度でも女性が教育の機会を得たという点では、アフガンはまだ幸せなのかもしれません。同様にイランもまだマシでしょう。

私はかつてパキスタンの北辺のスレイマン山脈からクエッタまで行ったときに、その辺りのパキスタンの学校をいくつか見たことがあります。どの学校でも授業を受けているのは男の子だけで、女の子は窓の外からそれを聞いているだけ。

なぜ女の子のための教室をつくらないのか。現地で取材したら、女の子に勉強を教える女性教師がいないからだという。男性教師には女の子に勉強を教えることが禁じられています。といって女性教師を育てようにも、そのための女性教師がいません。だから、女の子は窓の外で授業を聞くだけしかできないのです。

イスラム教があって近代化に取り残されている地域は、女性の権利を認めず女性教育も非常に遅れていて、悲惨です。

「スンナ派VS.シーア派」は間違い

■どこが違うシーア派とスンナ派

飯山　日本の教科書や入門書では、イスラム教にはスンナ派とシーア派のふたつの宗派があると説明されています。しかしこれはあくまでも日本人、非イスラム教徒から見たイスラム教であり、イスラム教徒自身はそうは思っていません。

多数派であるスンナ派の人は、シーア派なんてものは存在しないと思っています。イスラム教にはスンナ派しかない、シーア派と言っている連中はあれはラーフィダだ、と嘲る。ラーフィダというのは拒絶する輩という意味です。イスラム教の正しい教えを拒絶し、多神崇拝に走っている輩だとみなしている。

少数派であるシーア派も、自分たちこそが正しいイスラム教徒だと自負しています。

スンナ派とシーア派の大きな違いは指導者論です。シーア派は預言者ムハンマドの血を引くイマームこそがイスラム共同体の指導者だと信じます。このイマームは無《む》

ドの代理人であるカリフが共同体の指導者であると考えます。カリフは無謬ではありません。一方スンナ派は、預言者ムハンマ
謬《びゅう》、つまり間違いを犯さない人だとされている。

ませんは

預言者ムハンマドは後継者について言及しないまま死んだ。その後、後継者に選ばれたのがアブー・バクルです。

高山　部族をまとめ上げる力を持っていた。実力者だった。それでいわゆる「カリフ制」がスタートした。アブー・バクルの次もそういう統率力からウマルが選ばれ、3代目にウスマーンが選出された。

ところがその次の4代目にしゃしゃり出てきたのがアリー。彼は「俺は預言者ムハンマドの従弟だ。おまけにムハンマドの娘ファーティマを嫁にしているから、預言者の血が濃厚に入っている。神アッラーと話をした預言者の一番の近縁だから、カリフになってしかるべきだ」とカリフに就いた。

アリーが4代目になって揉めた理由についてはいろいろな解釈があると聞いています。私がイランで聞いたのはこういうことです。

部族社会だったアラブ人をイスラムの教えで糾合したのがムハンマドだが、その後継者を血縁によって選んだら、再び部族主義に戻ってしまう。だから血筋を言いたて

るアリーはカリフにふさわしくない。血筋ではなく実力を認められた者がカリフになりうるとした。アラブらしい一種の民主主義でしょう。

飯山　実は預言者ムハンマドは最初からアリーをイマーム（指導者）に指名していたのだ、と信じる人々がシーア派です。だから彼らはアブー・バクルら3人のカリフを「指導者の地位を簒奪した」者として詰る。しかしアリーは暗殺されてしまいました。そこでシーア派の人々はアリーの息子のハサン、その弟のフセインが第2代、第3代のイマームだと信じるようになりました。

髙山　イランのシーア派はそこから話が始まる。実はフセイン王子には嫁さんがいた。それも、滅ぼされたササン朝ペルシャの最後の王ヤズデギルド3世の娘、シャハルバヌーだった。そしてアリーの党シーア派の跡取り息子（イマムザデ）が生まれたという伝説です。

つまりアラブの偉大なる預言者ムハンマドの血を引いたフセインがペルシャ王の王女シャハルバヌーと結婚して生まれたのがアラブ人とペルシャ人の血の交わった息子だということで、まさに中東の王にふさわしい血統を持つというイマーム伝説が誕生した。そんなのはアラブ人は信じない。イラン人のイスラム教徒ならうれしく信じ込む話になっている。

飯山　そしてフセインから数えて12代目のイマームは４歳でお隠れになった。12代目のイマームは今も「お隠れ」していることになっています。今のイランの最高指導者は、そのイマームが「お隠れ」している間、イマームに代わってこの世を統治していることになっています。

高山　ペルシャ人はシーア派を引っ提げて、アラブのスンナ派に対抗しようとしている。フセイン王子が殉教した地、イラクのカルバラーを聖地として、その辺のアラブ人もシーア派になっている。

飯山　多数派であるスンナ派は偶像崇拝を禁じ、預言者ムハンマドを描いたり、あるいは人が演じたりすることを禁じますが、シーア派は預言者やイマームの絵を積極的に描き、ポスターやブロマイドのようにして売ったり、貼り出したりする点も異なります。

高山　シーア派にとって偶像崇拝は悪いことでなくてだからイランではどこのチャイハナに行っても騎馬に乗ったフセインの絵がかかっている。

イラン中部の都市のイスファハーンはサファビ朝の王都があったところで、王城の壁には踊り子などの女の絵も描かれていた。シーア派だから許された壁画だった。その後、アフガンのパシュトゥーン族が襲ってきて王城を乗っ取った。彼らはスンナ派だから女の絵など許さない。壁は上塗りされて消されてしまった。

ところがホメイニ師の時代になって、イスファハーンの王城の修復をして、漆喰の下にあった壁画がほぼ完璧な形で見つかった。それがスンナ派よりお堅いホメイニ師の時代に見つかったというところが皮肉ではあったけど。

飯山　女が描かれた絵だと、スンナ派は破壊するか塗り固めるかのどちらかですね。

高山　塗り固めておいてくれたので、剝がすと絵が出てきた。シーア派は徹底して人間的というか、ペルシャ人的というか、音楽も楽しめば、偶像も楽しめば、壁画も楽しみます。

■ペルシャ的なシーア派

高山　ホメイニ師が掲げたのは十二イマーム派のイスラムだった。お隠れになった方がいつか再臨するというのは、いわば旧約聖書の救世主の再来と同工異曲であり、ゾロアスター教のサオシュヤントの復活辺りがヒントになった話だと思う。で、イランの民は12代イマームが救世主として現れるまで、よきムスリム（イスラム教徒）として励みなさいというのが、ホメイニ師におけるイラン・イスラム革命の骨子です。

しかし誰もそんな話は信じない。まったくの異端と思っている。それがイラン・イスラム革命のときのスンナ派の対応でした。

ホメイニ師は、「12代イマームの下にシーア派のイスラム教指導者がイスラムのリーダーになるべきである」という高望みを露わにし始めた。でも9割を占めるスンナ派は「はあ？　何のことですか」みたいな反応しか示さない。シーア派は所詮ペルシャ人が勝手につくり出した異端宗教と見られている。

結局のところ、イラン人が信じやすいようにイスラム教を改変して、さらにイラン人向けにつくり直したのがシーア派だと考えてもいいのではないか。

たとえばゾロアスター教では犬は神の使いだった。だからシーア派は平気で犬を飼っていたけれど、ホメイニ体制のイランではスンナに遠慮してそういうゾロアスター的要素を捨てさせるために「犬を飼うな」というお触れを出した。ホメイニ師は「豚は不浄なり。犬もまた不浄なり、その毛も骨も汗も」とも言っている。

それで革命のあと、捨てられた飼い犬が野犬化して街中をうろつくようになって、野犬が襲ってきたりする。特に街道筋には野犬が群れをなしているので、軍隊が出て犬を撃ち殺すようなこともやっていた。

飯山　イスラム教では犬は不浄だとされています。これはスンナ派でも同様です。サウジでも長らく、犬を飼ったり散歩したりすることはできなかったのですが、近年は近代化政策の一環として、犬を散歩させたり、犬同伴で利用できるカフェができたりもしています。

高山　え、犬が不浄なのはシーア派だけではないの。

飯山　はい、スンナ派でも犬の唾液は不浄とされ、狩猟や牧畜などで必要な場合以外は犬を飼ってはならないとされています。だから犬をペットにするのはダメなんですね。

高山　それでもスンナ派のトルコの奥地に行くと有名なシバス犬がいる。

シバス地方の犬は生まれるとすぐに耳を切られる。狼が犬をやっつけるときに耳を狙う。耳をやられると犬はひとたまりもないので、生まれたときに耳を切り取られ、喉には鉄の首輪が嵌められ、狼の攻撃が効かないようにしている。とにかく粗暴で、飼い主以外の人間はみな食い殺すと言われます。私もトルコに行ったときに、シバス犬を見に行って、危うく食い殺されそうになった。コワかった。

なお、シバスのホテルで1990年代、サルマン・ラシュディの出版記念会をやったときにホメイニ師の信徒が襲ってホテルに火を放ち、30人くらいが焼死した。シバス犬もびっくりの凶暴さだと話題になった。

■宗派を超えた対立

飯山　中東の対立構図をスンナ派とシーア派で分けて考えても無駄です。そのようなきれいな分断は存在しないからです。

たとえばイランは、中東諸国のテロ組織に武器やカネを支援して「代理組織」にし、その代理組織にイランの敵であるイスラエルや米軍基地などを攻撃させているわけですが、このテロ組織は必ずしもシーア派ではありません。

イランはパレスチナのガザ地区を実効支配しているハマスを支援していますが、ハマスはスンナ派です。またイランは国際テロ組織アルカイダも支援していることが明らかになっていますが、アルカイダもスンナ派です。

イランの目的は「大悪魔」米国と「小悪魔」イスラエルを打倒することです。そのためにテロ組織を支援しているのであって、その際、それがシーア派かスンナ派かということは問題にならないわけです。イランが中国やロシアといった、イデオロギー的にはイスラム教とまったく相容れない国と仲良くしているのも、そう考えれば理解できると思います。

高山　米国はサダム・フセインを取り除くため、イラクのシーア派の指導者であるサドルをけしかけ、サダム・フセインに何度も暗殺を仕掛けさせたと聞いたことがある。世俗的なサダム・フセインを無理やりスンナ派の代表にし、レベルの低いシーア派対スンナ派の宗教争いだということにして、結局、捕らえたサダムをシーア派に引き渡して処刑させた。スンナ派が絶対に許さないシーア派の暴挙であり、米国の悪辣《あくらつ》さがよくわかる事件だった。

飯山 シーア派というと一枚岩のような印象を受けるかもしれませんが、同じシーア派の中でも、誰を自分たちの指導者と信じるかによって派閥はかなり細分化されていま す。イランの隣のイラクも、実は人口の過半数がシーア派なのですが、では彼らがイランの最高指導者を自分たちのリーダーだと認識しているかというとまったく違う。イラクにはイラクで、シスターニー師というシーア派指導者がいるし、それとは別にサドル師という大衆に人気のある指導者もいる。サドルは民兵組織や政党も持っていて、反イランの立場を明確にしています。

スンナ派とシーア派だから仲が悪いわけでもないし、シーア派同士だから仲がいいわけでもないのです。

髙山 確かにイラクでは同じシーア派なのにサドル派とマリキ派で殺し合いをやった。マリキ派を率いているのは2006年から2014年までイラクの首相だったマリキで、依然、親イラン派だ。イランの傀儡とも言われている。イラクでのシーア派の争いはアラブ人でありながらイランの手先になったアラブ人とイランの介入を嫌うアラブ人信徒の戦いということになる。

飯山　イラクにある人民動員隊という民兵組織は、イランから資金と武器を得て、また指示も受けているイランの傀儡です。ここが在イラクの米国大使館や米軍基地に頻繁にロケット弾などで攻撃を行っている。イラク国内の一部地域では、この人民動員隊が勝手に検問所をつくり、「治安維持」を行っているところもあります。イラクの人たちの中には、同じシーア派であってもこうしたイランの露骨な介入を嫌悪する人も多くいる。イラクをイランに支配されたままにさせておきたい人たちと、イランの支配から脱したい人たちがいるのです。

拡大する「戦争の宗教」

■「平和の宗教」はジョージ・ブッシュの宣伝

飯山　イスラム教という宗教については、誤解が広まっていると思います。日本でもよく「イスラム教は平和の宗教」だと言われていますが、イスラム教は平和の宗教ではありません。１４００年にわたるイスラム教の歴史を振り返っても、イスラム教徒が自ら「イスラム教は平和の宗教です」などと言ったことはありませんでした。

髙山　イスラム教は「戦争の宗教」ですね。

飯山　イスラム教が征服戦争によって広まったというのは、歴史的事実です。日本の高校で最もよく使用されている山川出版社の『詳述世界史』という教科書の見出しは、アフリカの歴史、ヨーロッパの歴史、中国の歴史など地域別になっているのに、なぜかその中に「イスラーム世界の形成と発展」という項目が並んでいます。イスラム教というのが政治や領土と密接に結びついていることがここからも明白です。

ではなぜ近年になって「イスラム教は平和の宗教」だということになったかというと、これには2001年のアメリカ同時多発テロ、いわゆる9・11事件が関係しています。9・11の後、米国のブッシュ大統領は「テロとの戦い」を宣言しました。しかし9・11をやったテロリストはみなイスラム教徒だった。一方でテロとの戦いにはイスラム諸国との連携も不可欠です。

だからテロとの戦いは必ずしもイスラム教との戦いではない、ということを強調する必要があった。そこでブッシュ大統領は、「イスラムは平和の宗教」だと繰り返したのです。

テロリストと一緒にされたくないというイスラム教徒たち自身も、「イスラム教は平和の宗教」だと主張するようになりました。「平和の宗教」というのは聞こえがいいわけで、こう言っておけば悪者にならずにすみますから、誰にとっても都合がよかったのです。

日本でもメディアや「専門家」が、「イスラム教は平和の宗教」だと繰り返しました。テロをやっているのは、あれは本当のイスラム教徒ではない、と切り捨てることで、「イスラム教は平和の宗教」像を守ろうとしてきた。今でもやっていることは同じです。

しかしイスラム教の教義に戦争や侵略を促すものがあるのは事実です。侵略にもいろいろある。武力ではなく、ヨーロッパなど非イスラム圏に積極的に移住し、そこでたくさん子供を産むことで、イスラム世界に変えていこうと呼びかけたのが、2022年に死去したユースフ・カラダーウィーというムスリム同胞団のイデオローグです。

高山　ムハンマドはやはりただ者ではなかった。最初は女富豪のヒモみたいなことをしていたのに、あるとき神から自分は「最後の預言者」だと告げられたことにした。神というのはユダヤ教の神であり、キリスト教の神です。

飯山　イスラム教徒にとっては、預言者ムハンマドは神に選ばれた最後の預言者です。「預言者の封印」と呼ばれていて、彼以降、もう預言者は出現しないことになっています。

髙山　いずれにせよ、イスラム教のベースはユダヤ教ですね。そしてユダヤ教のベースはゾロアスター教と言われる。ゾロアスター教はイランで発祥しました。ゾロアスター教の開祖がゾロアスターで、ドイツ語読みではツァラトゥストラ。

ユダヤ教には「バビロン捕囚」が深く関係しているとも聞きます。新バビロニア国王のネブカドネザル2世はユダヤ王国の首都エルサレムを3回（紀元前597年、紀元前586年、紀元前582年）にわたって破壊し、エルサレムを属州にした。このとき、エルサレムから貴族、軍人、職人など4万5000人以上のユダヤ人をバビロニアに移した事件がバビロン捕囚。紀元前538年に新バビロニアが滅亡した後、バビロン捕囚のユダヤ人は解放されたものの、大部分は離散しました。

バビロン捕囚のユダヤ人は、「自分たちは捕らわれの奴隷にされてはいるが本来は誇り高い民族だ」ということで旧約聖書をつくった。このときに参考にしたのがゾロアスター教だった。その聖典である「アベスター」によると、宇宙の歴史は、善神アフラ・マズダーと暗黒の神アングラ・マインユとの闘争で、最終的には善神が勝利して最後の審判と全世界の浄化の後に新しい完全な世界が確立されています。

ただしゾロアスター教は善悪二神がいる二神論なのに対しユダヤ教は一神論なので、ふたつの宗教の間に大きな矛盾がある。それでもユダヤ教にはゾロアスター教の教義の占める割合は非常に大きい。

ユダヤ教と関係が深いキリスト教もゾロアスター教の影響を受けている。「最後の審判」もそう。また、アベスターの中にはアングラ・マインユが栄えると預言者ゾロアスターの子供が泉のほとりで沐浴している処女を懐胎して、「サオシュヤント（救世主）」が生まれるというストーリーがある。この処女懐胎もキリスト教のマリアの受胎に繋がる。

ササン朝ペルシャの崩壊はイスラム教がゾロアスター教の国を滅ぼしたことになる。それで、ゾロアスター教を信じるペルシャ人をイスラム教へ改宗させた。

ただしペルシャ人の中には、コーランの教えを聞いていて、「何だ、ゾロアスター教によく似ているじゃないか」と反論する者がけっこういた。ゾロアスター教を参考にユダヤ教ができて、ユダヤ教を参考にイスラム教ができているのだから、イスラム教はゾロアスター教の孫宗教みたいなものでしょう。イスラム教とゾロアスター教を比べると、もちろん違ったところはあっても、相似点が多いのも事実です。

■イスラム教への冒瀆は死を覚悟せよ

飯山　ゾロアスター教、ユダヤ教、キリスト教に限らず世界にはいろいろな宗教があって、別の宗教でもルーツが繋がっていたり逸話を共有していたりします。そのように宗教間の関係性に着目して宗教を合理的に理解しようという研究は西側諸国でずっと行われてきました。

しかしイスラム教の場合、啓典『コーラン』は神の言葉そのものとされているので、それを合理的に解釈することは許されません。『コーラン』の文言の中にも、一見すると矛盾しているように見えるものが多くありますが、それが矛盾に見えるのは我々人間の知能が神と比べて著しく劣っているからだと考えます。そしてそれが矛盾ではなくなるように解釈する方法を探る。これがイスラム教的探究の基本です。

ですから、「『コーラン』は人間がでっちあげた」といった発言は、イスラム教では冒瀆という甚大な罪を構成すると考えられます。『コーラン』は神の言葉を一言一句、間違いも過不足もなく書きとったものであるとされており、それ以外の解釈は許されません。

異教徒が知らずに言ったことでも、大きな問題になることがあります。バングラデシュやパキスタンでは、ヒンドゥー教徒が『コーラン』を揶揄したり、『コーラン』の本を粗末に扱ったりしたことがきっかけで、イスラム教徒が暴動を起こすことがよくあります。

日本でも２００１年、富山県において、パキスタン人が経営する中古車販売店周辺で『コーラン』が破られるという事件が発生し、イスラム教徒が「冒瀆だ」と激怒し、富山だけでなく全国で抗議デモを行い、外務省にまで詰めかけるという事態に至りました。

自分はイスラム教徒ではないから知らない、という言い訳は通用しないと知っておくことは大切です。

髙山　イスラム教徒はイスラム教の教えに異議を唱えることはできませんね。

飯山　イスラム教には厳格な戒律があり、その戒律の体系がイスラム法です。イスラム法は神の法だとされている。そこでは宗教（イスラム教）、神、預言者ムハンマド、『コーラン』を否定したり揶揄したりする言動は冒瀆罪を構成すると定められています。冒瀆罪は基本的に死刑です。

イスラム法の執行は国家が担保しているわけではありません。その代わり、信者が個人として冒瀆罪を犯した者を殺害しようとする場合があります。

1988年に『悪魔の詩』という小説を書いたサルマン・ラシュディや、その出版、翻訳に関わった人々が何度も襲撃されているのがその例です。このとき、彼らは殺されるべきだとファトワー（イスラム法的見解）を出し、一般信徒に対して彼らを殺すように促したのが、当時のイランの最高指導者ホメイニ師です。

高山　ホメイニ師が「（ラシュディを）をやっちまえ」と言ったのが1989年2月で、同年6月3日にホメイニ師は死にます。しかし翌1990年に五十嵐助教授が『悪魔の詩』を翻訳して日本語版を出版しました。プレスクラブで行った発表記者会見にはイスラム教徒が押しかけてきて、五十嵐助教授に対して暴力を振るった。

そして、1991年7月に筑波大学の校舎で五十嵐助教授は頸動脈を切られて殺されてしまった。テヘランのバザールに行くと、何頭も繋がれた羊を1頭ずつ頸動脈を切って処分していきます。その頸動脈の切り方がそっくり同じだった。

それでホメイニ師の忠実な親衛隊、革命防衛隊による犯行だという説があったけどそれはありえない。私は何度か筑波大学に行ったことがある。でも建物が複雑で、日本人ですら、一度で目的の研究室に辿り着くなど絶対にない。それを成田で降りたイラン人が誰にも怪しまれずに目撃者もかわして助教授の研究室に行きつき、暗殺してまた誰にも見つからず成田から飛んでいくなど絶対にありえない。

週刊誌が短期留学で来ていたバングラデシュ人が犯人ではないかとほのめかしていた。

五十嵐助教授は夜中に殺されて、翌朝発見された。容疑者はその日の午後の便でバングラデシュに飛んで帰った。容疑者はイスラム教徒で、しかもバングラデシュはあの辺では珍しくシーア派勢力を持っている。ムガール帝国時代にバングラの知事になったのがシーア派のイラン人だった。ホメイニ師の殺人命令をすぐ実行できるバングラデシュ人は一杯いた。

飯山　五十嵐助教授の著書を読むと、彼がイスラム教に心酔していたことがわかります。彼は、「ラディカル」だからこそ「私はイスラームに惹かれる」と述べていました。イスラム教の過激さは彼にとって魅力だったわけです。

ホメイニ師が『悪魔の詩』の関係者を殺せと呼びかけたファトワーについても、一見すると暴力的だがそれは「表面波」にすぎず、背後には「知恵」があるのだと「高く評価」していました。自分が殺害のターゲットとされてなお、彼は恐れることも批判することもなく、「イスラーム」に寄り添った。

そもそも彼は『悪魔の詩』について、「一イスラーム研究者として」イスラム教に対する「冒瀆の書ではないと判断した」と述べています。だから彼は日本語に翻訳して出版した。

しかし彼の判断とホメイニの判断は違っていた。リアルな「イスラーム」は、彼が心惹かれ、高く評価していた「イスラーム」とは違っていたのです。

日本のイスラム研究者は自らの理想をイスラム教に投影し、イスラム教を美化し、理想視するのが常です。だから彼らは、イスラム教から「教」をとり、「イスラーム」と呼んで、「単なる宗教ではない」感を醸し出そうとする。

彼らは日本が失ってしまった美徳や価値のすべてが「イスラーム」にあるのだと主張します。それだけでなく、「イスラーム」というのは宗教の枠組みを超えた包括的な価値体系であり、これこそが近代にとってかわるべきものだと訴える。彼らは米国や欧州が主導する今の世界秩序を嫌悪し、世界が「イスラーム」で覆われれば理想郷が実現するのだ、という妄想すら展開します。

だから彼らはタリバンやハマスといったイスラム過激派を擁護する。アルカイダが実行した9・11はアメリカの陰謀なのだと、平然と言ってのける。

私が日本のイスラム研究業界でイジメられ、今も中傷され続けているのは、イスラム教の本質や現実を開示する私の言論が、彼らの「活動」にとって極めて不都合だからです。

■人格を変える魔力

飯山　五十嵐助教授が頸動脈を切られて殺されたのには、宗教的な意味があります。頸動脈を切り、流血させることで、その存在が「清浄」なものになる、という教えがイスラム教にはある。動物を屠《ほふ》るときにメッカの方向を向き、「神の名にかけて」と言いながら頸動脈を切るのと同じです。不浄な存在を清浄にするための、宗教的儀式だという含意がある。

だからイスラム過激派は捕まえた「敵」を、わざわざ斬首して処刑することがあります。単に殺せばいいというわけではない。そこには象徴的な意味があるのです。日本人の中にも、イスラム過激派に斬首されて亡くなった人が複数います。

サルマン・ラシュディは今は米国のニューヨークに住んでいるのですが、２０２２年８月にも講演会場で襲撃され、重傷を負いました。レバノン系でイランの最高指導者ホメイニやハメネイを信奉していた男の犯行でしたが、男はナイフで執拗にラシュディを刺した。彼は単にラシュディを殺したかったわけではないのです。ラシュディを「浄め」たかった。

髙山　ラシュディも元イスラム教徒でしょう。イスラム教を棄教してキリスト教徒になった。

飯山　イスラム法では棄教は死罪と定められています。ラシュディがナイフで襲撃された際も、イランのメディアは、ラシュディは棄教者であるうえに『悪魔の詩』を書いた冒瀆者でもあるのだから、殺されて当然なのだ、と犯人を英雄視し称賛していました。

ラシュディを襲撃したハーディー・マタルという男は、両親がレバノン人で、自身は両親が米国に移住後生まれたので、米国人として育ってきました。両親の離婚後は、母親と兄弟と暮らしてきた。母親は世俗的な人間で、宗教は個人の心の中に留めておくべきものだというスタンスでした。

数年前にマタルは急に、レバノンに住む父親のもとを訪ねた。レバノンから帰った後、人が変わったようになってしまったと母親は語っています。これまでは社交的で明るい人間だったのに、部屋に閉じこもってイスラム教の話ばかりするようになった。母親に対し、なぜ自分をもっと宗教的な人間に育てなかったのかと詰ったそうです。

事件後、母親は自分はラシュディという人を知らなかったと述べています。

■エルサレムがイスラム教の聖地は大嘘

高山　ところで、イスラエルのエルサレムは３つの宗教の聖地になっていますね。ユダヤ教の嘆きの壁、イエス・キリストが磔刑《たっけい》になったゴルゴタのキリスト教の聖墳墓教会、イスラム教の岩のドーム。このことがユダヤ教とキリスト教がイスラム教と軋轢《あつれき》を起こす大きな理由になっている。

飯山　実はエルサレムが３つの宗教の聖地だということになったのは、ごく最近のことです。エルサレムは確かにユダヤ教とキリスト教の聖地ではありました。しかし、イスラム教の聖地ではなかったのです。

イスラム教の聖地はサウジにあるメッカとメディナのふたつです。ではなぜ、エルサレムもイスラム教の聖地だということになったのかというと、歴史的、政治的な背景があります。

たとえば朝日新聞はエルサレムに「イスラムの預言者ムハンマドが昇天したとされる岩のドーム」があるから、エルサレムはイスラム教にとっての聖地なのだと説明しています。

しかしこの岩のドームというのがエルサレムに建設されたのは、西暦６８８年から

691年にかけてです。預言者ムハンマドは、それより50年以上も前の632年に死去している。つまり預言者ムハンマドが「昇天」した際、岩のドームはまだ存在していなかったのです。

預言者ムハンマドが昇天した場所について、コーラン第17章1節は「最果てのモスク（アクサーモスク）」と書かれています。当時、地上には「最果てのモスク」なるものは存在しなかったので、イスラム教の学者たちは、これは地上ではなく天空のどこかにあるモスクなのだろうと理解してきた。しかしウマイヤ朝という王朝がエルサレムを制圧した後、705年から709年にかけて、エルサレムにその名も「最果てのモスク」というモスクを建設してしまったのです。

それ以降、実は預言者ムハンマドが昇天したのはエルサレムなのだということに話がすり替わっていった。

さらにそこから、「エルサレムはイスラム教の聖地でもある」と主張されるようになったのには、政治的な理由があります。簡単に言えば、キリスト教徒やユダヤ教徒が「エルサレムは我々の聖地だ！」と主張し、そこをわがものにしようとすると、イスラム教徒も急に、「え、エルサレムってそんなに大事な場所なの？」となってエルサレムは俺たちのものだという意識が芽生えるわけです。

その最たるものが1948年のイスラエル建国だった。エルサレムをユダヤ人に「奪われた」ことに怒ったイスラム教徒たちが、ここはイスラム教の聖地でパレスチナ人のものだと言い始めた。世界中の人々にユダヤ人の不正、邪悪さを印象付け、イスラム教徒の権利を訴えるために必要だったのが「イスラム教の聖地エルサレム」という物語です。

ある場所が聖地になったり、ある人が聖人になったりするのは、往々にして後代の人間がその「聖性」を必要とした場合です。ところがそれがいつのまにか、大昔から聖なるものだったのだという認識になって、広まっていく。「エルサレムは3つの宗教の聖地」という言説は、それを象徴する事例です。

■宗教が戦争を起こす

高山　エルサレムの写真を見ると真ん中に金ピカの「岩のドーム」がある。そこは元ソロモン王の宮殿跡で、そこをイスラムが取ってしまった。ユダヤ人に残されたのは宮殿の建っていた高台の西の壁だけで、その哀れさからか別名「嘆きの壁」と呼ばれている。

飯山　「パレスチナ問題」という言葉は、「ユダヤ人がパレスチナを占領したのが問題だ」

というユダヤ人性悪説に立脚しています。1948年のイスラエル建国まで歴史を遡《さかのぼ》ると、それだけが「真実」であるかのような印象を受けます。

しかしユダヤ人に言わせれば、エルサレムは約3000年前にダビデ王がイスラエルの首都として以来、ユダヤ人の信仰において中心的役割を果たし続けてきた。エルサレムを占領し、ユダヤの王の宮殿を破壊して岩のドームやらアクサーモスクやらを建設し、占拠したのはイスラム教徒のほうじゃないか、ということになる。

ちなみに旧約聖書ではエルサレムが800回以上言及されているのに『コーラン』では一度も言及されていません。過去にイスラム王朝がエルサレムを首都としたこともありません。パレスチナという地域名はありましたが、パレスチナという国家が存在したこともありません。

イスラム教徒にとって長らく、エルサレムは聖地などではなかったことは、中東の歴史をやっている人間であれば誰でも知っていることです。ところが歴史研究者を含め、中東に関わる人間は誰一人その真実には言及しない。そして異口同音に「イスラエルはイスラム教の聖地パレスチナを占領した！」と非難するのです。

なぜかというと、中東研究者は本当に左翼ばかりで、皆一様に反米だからです。彼らの目から見るとイスラエルは米国の傀儡です。彼らが「中東の諸悪の根源はイスラエルだ」と主張するとき、そこには米国批判の意図が込められています。だから彼らはいつまで経っても、イスラエル性悪説から抜け出せない。日本の中東報道、中東研究が現実と乖離《かいり》したおとぎ話になってしまっている所以です。

髙山　議論をすること自体が紛争の元になっている。イスラム勢力が強いときにはそれこそソ連が東欧諸国を踏みにじったようにエルサレムを奪った。

エルサレムにあるキリスト教の聖墳墓教会は、イエスが磔刑にされたゴルゴタの丘をすっぽり包むように教会が建てられ、中にはギリシア正教、ローマン・カソリック、アルメニア正教会、コプト教会などキリスト教の8大宗派の教会が入居している。しょっちゅう各派の聖職者同士がつかみ合いのケンカをしていて、それもあって聖墳墓教会の扉を閉めた後にその鍵を保管するのはキリスト教徒ではなく、聖墳墓教会の前に住んでいるイスラム教徒が代々預かっている。それほどキリスト教会は宗派が違うだけで仲が悪い。

新教と旧教で争ったり、ローマン・カソリックとギリシア正教がケンカをしたり、アーミッシュというだけで殺したり。日本でも隠れキリシタンを教会にくるかどうかで潜伏キリシタンと隠れキリシタンに分けて後者を侮蔑した。そのことを象徴するのがこのイスラム教徒が鍵を預かる習わし。エルサレムにはこのほか新教のルター教会やモルモン教会もあるけれどモルモンなどは旧市街にも入れてもらえない冷遇を受けてオリーブ山に追われている。キリスト教はホントに差別宗教でスンナ、シーアの分裂を嗤《わら》えないひどさだね。

それを日本人は知りません。

飯山　日本には、人間を行動へと駆り立てるのは結局はカネなのだと思い込んでいる人が多くいます。だからテロも殺人も、貧困が原因なのだと説明されると納得する。宗教が原因です、イデオロギーに基づいてやっているのですと言われても納得しない。貧乏人がカネを摑まされてやったんだとか、麻薬漬けにされた人間が自爆テロをやらされてるんだとか言われると納得する。日本で横行しているのは、この種の唯物論的「解説」です。

しかし9・11をやったアルカイダの創設者であるビンラディンが大金持ちのお坊ちゃんだったことに象徴されるように、宗教というのは人をとんでもなく大胆な行動へと駆動します。

髙山　宗教の力の生々しさは、日本人にはわかりにくいのでしょう。

飯山　イスラム過激派がテロをやるのは、それが神の命令だと信じているからです。彼らはテロだとは思っていない。神の道におけるジハードであり、それを実行するのはイスラム教徒である自身の義務だと信じているのです。

イスラム教ではジハードで死んだ者は殉教者だと信じられている。殉教者は「最後の審判」を待つことなく、天国に直行することになっています。人間はいつか必ず死ぬ。ならば殉教したい、と考え、単にそう考えるだけでなくそれを実行に移す人も一定数いるわけです。

イスラム過激派について考える際には、このイスラム教の教義を前提にしないと何一つ理解したことにはなりません。イスラム教は平和の宗教だ、テロをする奴は本当のイスラム教徒ではないのだと切り捨てたところで、深刻な現実は変わらない。

ジハードや殉教の教義の源になっているのは「神の言葉」です。人間はそれを否定することはできません。

イスラム教にはジハードこそ最善とする教義がある。しかし武器を手にとり、それを実践するのはイスラム教徒のうちわずか０・０１％程度にすぎない。妄想や願望を排除し、こうした事実を事実として認識するところからしか、イスラム過激派テロをめぐる議論は始まりえないのです。

■イスラム教徒が日本を覆う日

髙山　イスラム教のおっかないところは、いったんイスラム教徒になると子々孫々までイスラム教徒にされること。棄教したらアッラーに対する罪で殺されてしまう。野球のダルビッシュ有もイスラム教徒のはずだし。有も正しくはユーでなく、シーア派の祖と同じアリと読むのではないか。

飯山　ダルビッシュ選手は信教の自由の保障された日本で生まれ育っています。こうした場合には、もしイスラム教徒である父親やその他の男性親族が棄教を強く咎めなければ、自由に生きることができます。

しかし日本やアメリカで生まれ育っても、父親や男性親族が棄教を断固として認めない場合には、自由に生きるのは難しい。こういった場合に棄教を押し通すと、家族に暴力を振るわれたり、殺されたりする場合もあります。心の中で棄教していても、家族や社会の中ではイスラム教徒のフリをし続ける人というのもいます。

髙山　ユダヤ教の場合は、母親がユダヤ教徒だと子供は自動的にユダヤ教徒になるとか。

飯山　ユダヤ法では、ユダヤ人の母親から生まれた子と、ユダヤ教に改宗した人をユダヤ人と規定しています。

しかしより一般的には、ユダヤ教の信仰を棄てた人もユダヤ人とみなされます。ユダヤ人の場合には歴史的に、厳しい迫害ゆえに棄教せざるをえない人も多くいました。自ら選択して棄教するユダヤ人もいます。

髙山　選択できるので、ユダヤ教は米国でも受け入れられている。

しかしイスラム教はそうではありません。選択権がないので、信教の自由が保障された国は別として一般にはイスラム教を捨てたら殺される。棄教できないから、子孫も否応なくイスラム教徒になり、仮に日本人女性が嫁さんになるとするとイスラムに改宗することになる。結果、イスラム教徒はひたすら増えていく。

飯山　イスラム教徒は現在、他の宗教の信者を圧倒する勢いで急増しています。ひとつにはイスラム教が棄教を禁じているからで、もうひとつにはイスラム教徒が多産だからです。

イスラム教の目標は世界征服ですから、世界中をイスラム教徒で覆いつくすことができればその目標は達せられます。そのため、とにかくたくさん子供を産むのが善行だと奨励される。ジハードをして敵を殺し敵の領土を制圧するより、人口パワーで世界を席巻したほうがいいという考えを広めているイスラム教指導者もいます。

特に日本のような先進国では、少子化が進んでいます。そういった国にイスラム教徒が移住し、そこでどんどん子供を産めば、その国に占めるイスラム教徒の割合は急速に増える。テロなどしなくても、民主的なやり方で政権を握り、イスラム法の支配するイスラム国家に変えてしまうことができるのです。これはありえない妄想ではなく、現実的な未来像です。

ピュー・リサーチ・センターによると、2016年時点でヨーロッパにおけるイスラム教徒人口の割合は4・9%です。フランスやスウェーデンでは8%を超えている。同センターは、このままヨーロッパへのイスラム教徒移民流入が続けば、2050年までにはイスラム教徒人口の割合は11%を超えると予測しています。

髙山　欧州の実情を見ればいかに大変かがわかる。イスラム教徒の移民によりイスラム化せざるをえなくなっている。欧州を見倣えというのが日本のメディアの常套句《じょうとうく》だけど、ドイツやフランスや英国の惨状も直視すべきだ。実情をよく見たうえでもって他山の石とすべきだね。

飯山　日本では少子化対策に成功した事例としてフランスを取り上げる人がよくいますが、フランスで増えているのはイスラム教徒の子供が多い。少子化対策や労働力不足を補うために移民受け入れを推進すれば、子供の数は増えるでしょうが、そこに占める日本人の割合は急激に減ることを覚悟しなければなりません。

国立社会保障・人口問題研究所は、２０５０年の日本の人口について、中位推計で1億人、21世紀末には６２００万人になると予測しています。今後80年間で日本の人口は今の半数になる。しかもそのとき、人口に占める日本人の割合はかなり低い可能性もあるわけです。

在日イスラム教徒の数も、現在は23万人と言われていますが、１９９０年には3万人しかいませんでした。30年間に8倍近く増えている。ここ10年だけ見ても倍増しています。ということは、２０３０年には50万人、２０４０年には１００万人、あるいはそれ以上に増えているかもしれない。

イスラム教徒にはイスラム教徒の価値観がある。それは神の言葉、信仰に由来しているので非常に強固なものであり、日本人の価値観とは相容れないものも多くあります。メディアが喧伝する「多様性のある社会」というのは、こうした人々と隣り合って暮らすという「試練」だと理解する必要がある。さらには、私たちのほうが「少数派」に転落する未来が待ち受けている可能性もあるのです。

髙山　世界はイスラム化していて、日本も無縁ではないということです。そのイスラム化の中心にあるのが中東諸国であり、中東の混乱ぶりを見れば米中が激突する世界の行方もやはり混沌としたものにならざるをえないのでしょう。だからこそ日本は「日本人」、つまり日本の歴史に目を向ける必要があるし、日本人にならなければ生き残れない。そのためにも、中東を正しく知る必要があるのです。

あとがき

新聞記者はもの凄く楽しく、やりがいのある仕事だと今でも思っている。この歳でもう一度やってもいいと思っている。

それほど好きな仕事だからか、最近の新聞は読むのがしんどい。書いた記者が目の前にいたら、そこらの通念に惑わされるな、書き直せと言うだろう。それほど考えずに書いている。

たとえば先日の朝日新聞の天声人語だ。

書き出しはアンネ・フランク。彼女一家がナチの目を逃れて2年間、オランダの運河沿いの倉庫の屋根裏で過ごしたことはよく知られる。そして捕まり、強制収容所に送られて殺された。

そのアンネがドイツから逃れ、オランダに逃れた時点で無国籍になっていた。それでは可哀想だからオランダ国籍を上げよう、今後はオランダ人アンネにしようという運動が起きていたとコラムは続ける。

ところがオランダ法相が「アンネは我々のアンネではない。もう世界のアンネだ」と国籍授与を断った。そこからコラムは国籍が大事かどうかの話になっていく。

しかし法相がなぜ断ったのか。実はそっちの方が今日的な意味があり、新聞記者ならそっちに好奇心を向けるところだろう。

それは難しい問いではない。ヒントは生き残った父オットーの残した記録で、そこには一家を捕まえたのがオランダ警察とある。

ナチ占領下とはいえ、あのとき隠れユダヤ人の情報を集め、狩り出しを進んでやったのはオランダ人だった。捕まえ、カネ目のモノを奪い、強制収容所に送り出したユダヤ人は10万人にのぼった。うち6万がアウシュビッツに送られ、アンネはそこからヨゼフ・メンゲレによってベルゲン・ベルゼンに送られた。

これがいかに大きい数字か。同じナチ占領下のフランスでも市民がナチに協力した。それでもパリ郊外のドランシーから直通列車で送り出したのは6万8000人だ。オランダはそれをはるかに凌いだ。

戦後、ナチの悪行がバレた。ポーランド人もその絶滅対象にされ、多くが殺された。それで最近ポーランド政府が総額180兆円の戦時賠償を請求してニュースになったが、同じく占領され、被害に遭ったはずの仏、蘭は実はドイツに賠償を請求していない。

なぜなら仏蘭、それにイタリアもナチと一緒にユダヤ人を嫌い、その絶滅政策に協力していたからだ。

賠償を請求したら旧悪がばらされる。だからオランダは「ナチにやられた被害国」を装って過ごしてきた。何も考えない天声人語記者もそう思い込んできた。

そこに今さらアンネにオランダ国籍をなんてやったら、何を加害者がいい子ぶってとか旧悪が暴かれかねない。

「世界のアンネ」とは考えたものだが、これほどのブラックジョークは他にはない。それをただの話の枕にした。書いた記者からこれっぽっちのセンスも感じない。

天声人語も毎日新聞のコラムも同じように例えば米国や支那が言う南京大虐殺やバターン死の行進を疑いもなく「あった」と書く。

でも、たとえばバターン死の行進は収容所行きの鉄道駅まで100キロもない。西村知美だって日テレで100キロマラソンを走った。米将兵は小休止に握り飯にコーヒーブレークも楽しんでいたと溝口郁夫『絵具と戦争』にある。

戦跡ルポで笹幸恵もその道を歩いた。「風邪気味だったけれど」歩けたと死の行進の偽りを月刊文藝春秋誌に書いた。

そしたらユダヤ人に関係ないのにサイモンウイゼンタールセンターが文藝春秋社を脅し

てお詫びと取り消しを要求してきた。

もはや言論弾圧だ。そんな抗議があったら日本の新聞社も学者も「ならば検証しよう」と現地を歩くものだろう。ところがどこも聞こえぬふりして、文春は頭を下げ、マッカーサーがでっち上げた嘘をいまだにのさばらせている。

南京大虐殺も同じ。支那ごときに遠慮して今は「南京大虐殺はホントか」と地上波では言えなくなっている。

何でこんな話を長々としたかというと、そういう疑問にさっと手を挙げて「おかしい」というヒトがでてきた。

最初は産経新聞のコラム「新聞に喝」だった。威勢が良くて毎回、歯切れがいい。

例えばイスラエルにロケット弾を撃ち込むテロ集団ハマスについて。「パレスチナは可哀想、イスラエルは悪い」のパターンそのままテロ行為を正当化する朝日、毎日を痛烈に論破している。

それが飯山陽。イスラム思想研究者だ。彼女の著書も読んだ。イスラムは平和宗教だという学者を小気味よく切っている。

こちらは現役記者時代にイスラム・イランにいた。イスラム諸国を歩いて何度か殺されそうにもなった。平和の対極にあるイスラムを体験していたから、彼女のイスラムの知識、その読みにはひたすら頷いた。

そんなわけで今、最も今日的な、それでいて日本人があまりにも知らない中東・イスラム圏の今について彼女から話を聞いた。過去のどの対談より刺激的で面白かった。

高山正之

[著者略歴]

高山正之（たかやま・まさゆき）

1942年東京生まれ。ジャーナリスト。1965年、東京都立大学卒業後、産経新聞社入社。社会部デスクを経て、テヘラン、ロサンゼルス各支局長。1998年より3年間、産経新聞夕刊一面にて時事コラム「異見自在」を担当し、その辛口ぶりが評判となる。2001年から2007年まで帝京大学教授。『週刊新潮』「変見自在」など名コラムニストとして知られる。著書に『韓国はどこに消えた⁉』（ビジネス社）、『変見自在 バイデンは赤い』（新潮社）など多数。

飯山　陽（いいやま・あかり）

1976年東京生まれ。イスラム思想研究者。麗澤大学客員教授。上智大学文学部史学科卒。東京大学大学院人文社会系研究科アジア文化研究専攻イスラム学専門分野博士課程単位取得退学。博士(文学)。著書に『中東問題再考』『イスラム教再考』（扶桑社新書）、『イスラム教の論理』（新潮新書）、『エジプトの空の下』（晶文社）など。YouTube、Twitter、noteでイスラム世界の最新情報と情勢分析を随時更新中。

〈編集協力〉尾崎清朗

騙されないための中東入門

2023年２月１日　第１刷発行

著　者　高山正之　飯山 陽
発行者　唐津 隆
発行所　株式会社ビジネス社
〒162-0805　東京都新宿区矢来町114番地 神楽坂高橋ビル5階
電話　03(5227)1602　FAX　03(5227)1603
https://www.business-sha.co.jp

〈装幀〉大谷昌稔
〈制作協力〉佐藤春生
〈本文組版〉有限会社メディアネット
〈印刷・製本〉大日本印刷株式会社
〈営業担当〉山口健志
〈編集担当〉中澤直樹

ISBN978-4-8284-2482-8

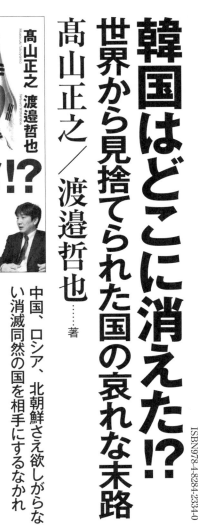

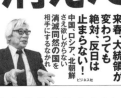